LES SECRETS DE LA PERSPECTIVE

Les secrets de l'artiste

1/ Les secrets de la peinture à l'huile
2/ Les secrets de l'aquarelle
3/ Les secrets du paysage
4/ Les secrets du dessin au crayon
5/ Les secrets de la nature morte
6/ Les secrets du croquis
7/ Les secrets de la perspective
8/ Les secrets d'une vraie créativité

n° d'édition 89101
Dépôt légal : novembre 1989
ISBN 2.215.01249.8
1re édition

LES SECRETS DE LA PERSPECTIVE

fleurus idées
Editions Fleurus, 11, rue Duguay-Trouin, 75006 Paris

Titres des mêmes auteurs

Georges RAYNAUD
Perspective d'observation 1962
Perspective construite 1964
Tracés géométriques 1964
Dessin technique 1968
aux Editions Amphora, repris par Educalivre

Annie RAYNAUD
Dessin - Modes conventionnels de représentation 1989
diffusé par la Librairie Eyrolles

Georges RAYNAUD
Professeur honoraire de l'Ecole Boulle à Paris
Ancien élève de l'Ecole Nationale Supérieure des Beaux-Arts de Paris
Lauréat du Prix de perspective Fortin d'Ivry
Président-Fondateur de la Société des Beaux-Arts de Choisy-le-Roi
Président-Fondateur du Comité National pour l'Education Artistique
Sociétaire du Salon des Artistes Français (Médaille d'argent)
Sociétaire du Salon d'Automne
Médaille d'Or aux Salons de Choisy-le-Roi, de Bourges, de Chinon.

Annie RAYNAUD
Professeur à l'Ecole Nationale d'Arts Appliqués et des Métiers d'Art
Diplômée de l'Ecole Nationale Supérieure d'Art Appliqué "Duperré"
5 ans d'industrie, 15 ans d'enseignement.

Photos : Georges Raynaud
Photo de couverture : Alfred Wolf
Maquette : Nicole Longechal

Table des matières

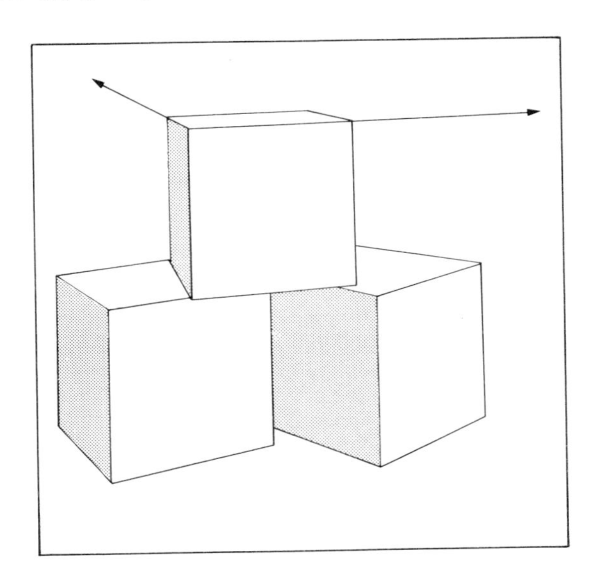

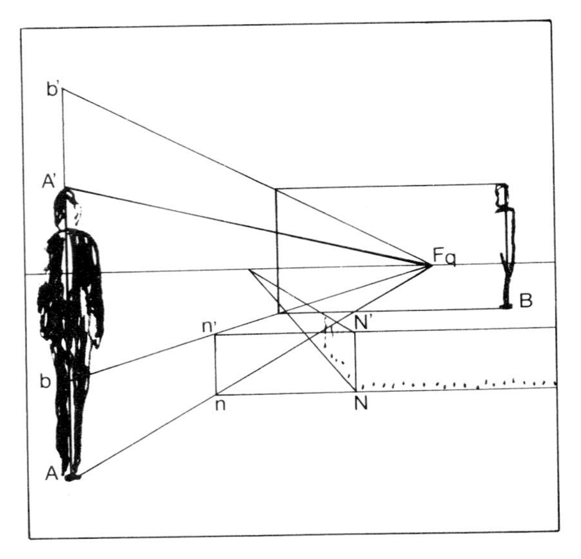

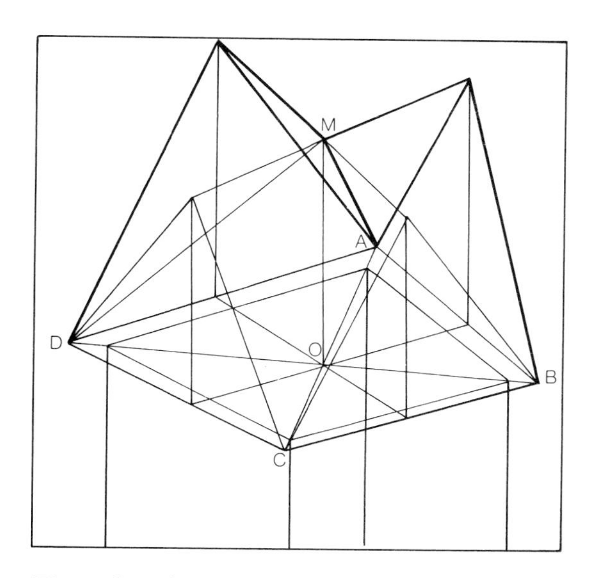

Tracés de toitures 77

Escalier 87

Ombres 95

Reflets 107

Conseils pour le dessin d'observation 121

100 exercices 131

Lexique 144

Avant-propos

Nous regardons un paysage, une architecture, un objet, nous le voyons en perspective. L'image que nous donne une photographie, le cinéma, l'écran de télévision est en perspective. Analyser cette image, en comprendre la structure est un des premiers buts de la perspective.

Si prenant un crayon, on cherche à représenter ce que l'on voit, on en comprend mieux les lois, aussi nous recommandons de refaire les tracés de l'ouvrage sur d'autres exemples qu'il est facile de trouver.

Nous avons multiplié les illustrations accompagnées d'un texte court, montrant ainsi combien la perspective est liée à la vie. Notre attention tenue sans cesse en éveil nous fait découvrir partout l'application de tel ou tel principe, c'est dire que la perspective nous apprend à voir.

On ne peut songer aujourd'hui à publier un ouvrage de perspective illustré simplement de dessins comme cela se faisait au début du siècle. C'est pourquoi nous avons fait largement appel à la photographie. Celle-ci donne une image exacte de ce que nous voyons. Nous savons que la vision avec deux yeux fait comprendre le relief, par la légère différence de vue de chaque œil, mais il ne peut se traduire sur une surface plane. La photographie vient confirmer les tracés que nous proposons et fait mieux comprendre les règles permettant d'établir correctement un dessin à vue.

Après un rappel indispensable de quelques définitions de géométrie descriptive, nous expliquons les compositions perspectives qui se modifient suivant la position du spectateur, la direction de son regard, son éloignement par rapport à l'objet à représenter.

Les tracés étudiés sont simples, faciles à réaliser, souvent même à main levée, nous avons volontairement éliminé les constructions savantes qui rebutent bien des dessinateurs, à moins qu'elles ne les passionnent.

La connaissance parfaite de la perspective permet de ne pas en être esclave et de savoir «l'oublier» lorsque l'on dessine, seul moyen de ne pas enlever à l'œuvre réalisée l'émotion, la sensibilité.

Nous n'ignorons pas toutes les possibilités données par l'ordinateur, mais il est important de préciser que l'utilisateur d'un programme de dessin ou de conception doit connaître la théorie qui a permis l'élaboration de ce programme. Il saura ainsi y apporter, si nécessaire, les modifications pour parvenir au meilleur résultat.

Nous n'avons rien inventé dans le domaine de la perspective dont tous les secrets sont découverts depuis le XVe siècle, mais nous pensons donner à l'étude de cette science un visage clair, compréhensible par tous.

G.R. et A.R.

LA GÉOMÉTRIE DESCRIPTIVE

Avant de parler perspective, il n'est pas superflu de rappeler quelques définitions de géométrie descriptive. Elles préciseront la signification des termes employés.

Quelques définitions utiles

LE PLAN

Définition : Surface qui vue de profil se présente suivant une ligne droite.

Un plan peut être *réel* quand il correspond à une surface solide ou liquide : dessus de table, mur, toit, nappe d'eau... dans ce cas il est toujours limité. Mais de tels plans peuvent être supposés prolongés dans tous les sens, à l'infini. C'est ainsi que les altitudes des terres sont mesurées par rapport au niveau de la mer, Paris est à 30 m au-dessus du niveau de la mer, le Mont-Blanc à 4.810 m d'altitude.

Un plan peut être *fictif* quand il est imaginé à un certain niveau ou dans une certaine orientation et l'on peut le supposer prolongé dans tous les sens d'une façon illimitée. Ce qui sera très utile pour réaliser bien des constructions.

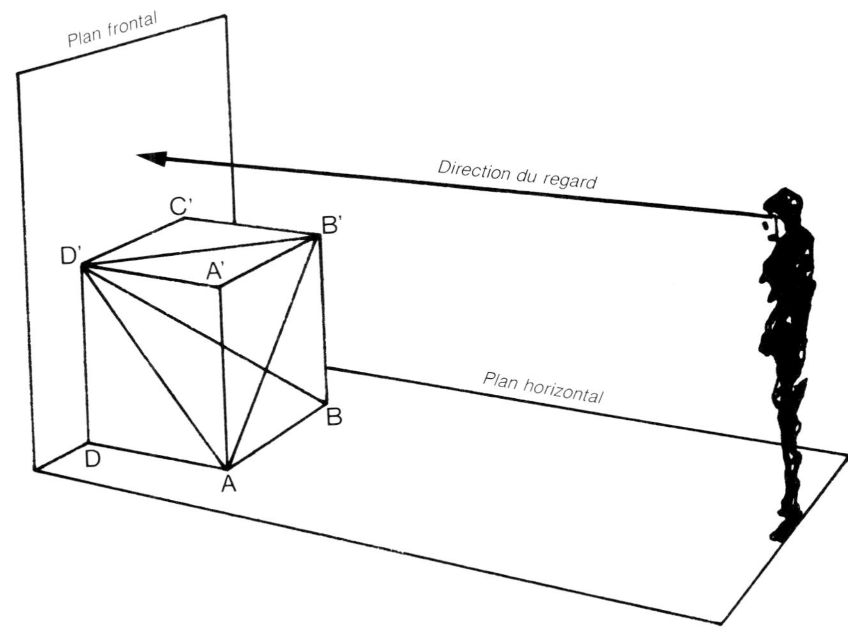

1. *ENSEMBLE VU EN PERSPECTIVE*

PRINCIPALES POSITIONS D'UN PLAN

Supposons qu'un spectateur regarde, sans incliner la tête, un cube posé sur un plan horizontal et contre un plan de front. (dessins 1 et 2).

Les différents plans du cube vus par le spectateur se désignent comme suit :
Plan A' B' C' D' : plan horizontal
Plan A A' B' B : plan vertical de front ou plan frontal
Plan A A' D' D : plan vertical de bout
Plan B B' D' D : plan vertical fuyant
Plan A B C' D' : plan oblique
Plan A B' C' D : plan oblique de bout

Pour la clarté du dessin, les plans n'ont pas été tracés complètement.

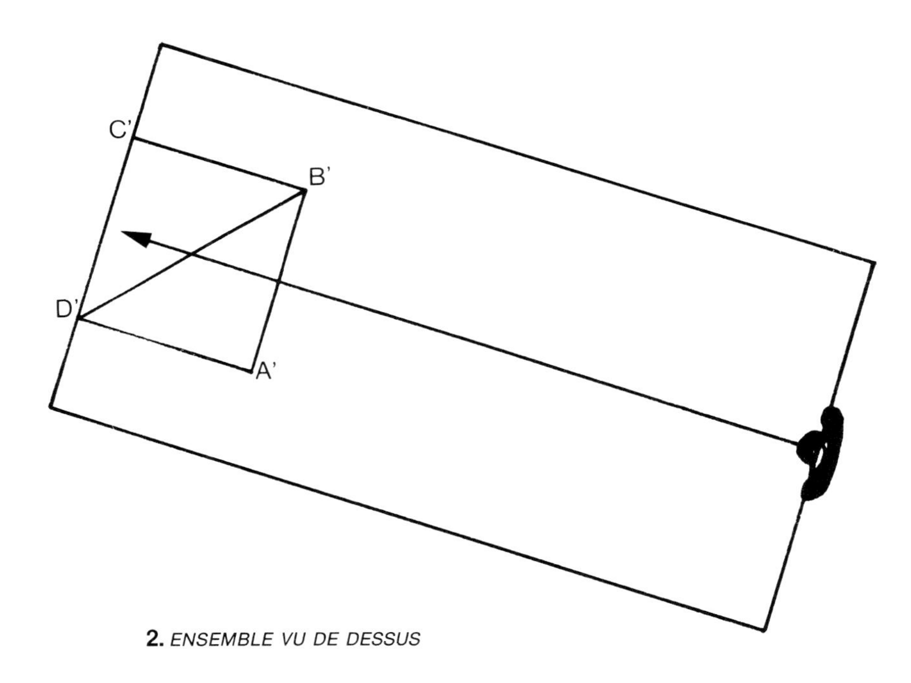

2. *ENSEMBLE VU DE DESSUS*

DROITE

Définition : distance la plus courte d'un point à un autre. L'intersection de deux plans donne une ligne droite ; réciproquement, une droite peut s'inscrire sur deux plans différents, même davantage, et quelle que soit sa position, elle peut toujours s'inscrire dans un plan vertical.

PRINCIPALES POSITIONS DE DROITES

Regardons de nouveau le cube (dessins 1 et 2), les lignes vues par le spectateur se désignent comme suit :
Droite AB : droite horizontale frontale
Droite AA' : droite verticale frontale
Droite AD : droite horizontale de bout
Droite B'D' : droite horizontale oblique
Droite AB' : droite oblique frontale
Droite AD' : droite oblique de profil
Droite BD' : droite oblique quelconque (ici, diagonale du cube).

Il est évident que, pour chaque catégorie, plusieurs droites du cube pourraient être citées.

C'est-à-dire qu'une droite peut être :
frontale : droite s'inscrivant dans un plan de front (horizontale frontale, verticale frontale, ou oblique frontale) ;
fuyante : droite ne s'inscrivant pas dans un plan de front ;
horizontale : droite s'inscrivant dans un plan horizontal (horizontale frontale, horizontale fuyante) ;
verticale : droite perpendiculaire au plan horizontal. Elle est frontale et se dessine par une verticale, sauf dans les vues plongeantes ou plafonnantes ;
fuyante de bout : droite horizontale perpendiculaire au plan de front.

POINT

Définition : intersection de deux droites. Lieu sans étendue, infiniment petit. Une droite qui recoupe un plan donne sur celui-ci un point.

Une droite qui est vue exactement par son extrémité apparaît suivant un point ; ainsi, n'importe quel rayon visuel partant de l'œil d'un spectateur, ne peut être représenté par celui-ci que par un point.

Moulin de Jarcy

PRINCIPES FONDAMENTAUX DE LA PERSPECTIVE

Il est important de voir l'ensemble : personnage, objet et tableau dans l'espace, afin de comprendre le «mécanisme» de la perspective. Quelques principes simples sont à la base de cette science.

Cône visuel

Quand un spectateur regarde un ensemble, objet, architecture, paysage..., de son œil partent des rayons visuels qui s'écartent et forment un cône : *le cône visuel* (dessin 3).

En perspective, on suppose ne se servir que d'un œil, la vision des deux yeux n'étant pas la même. Cette différence de vue permet d'apprécier les profondeurs mais ne peut pas se représenter sur une même surface.

RAYON VISUEL PRINCIPAL

Lorsque la direction du regard est bien horizontale, position que nous adoptons pour nos premières explications, le rayon visuel qui correspond à l'axe du cône visuel se trouve également sur l'axe horizontal et sur l'axe vertical de l'ensemble observé, c'est le *rayon visuel principal* (dessin 3).

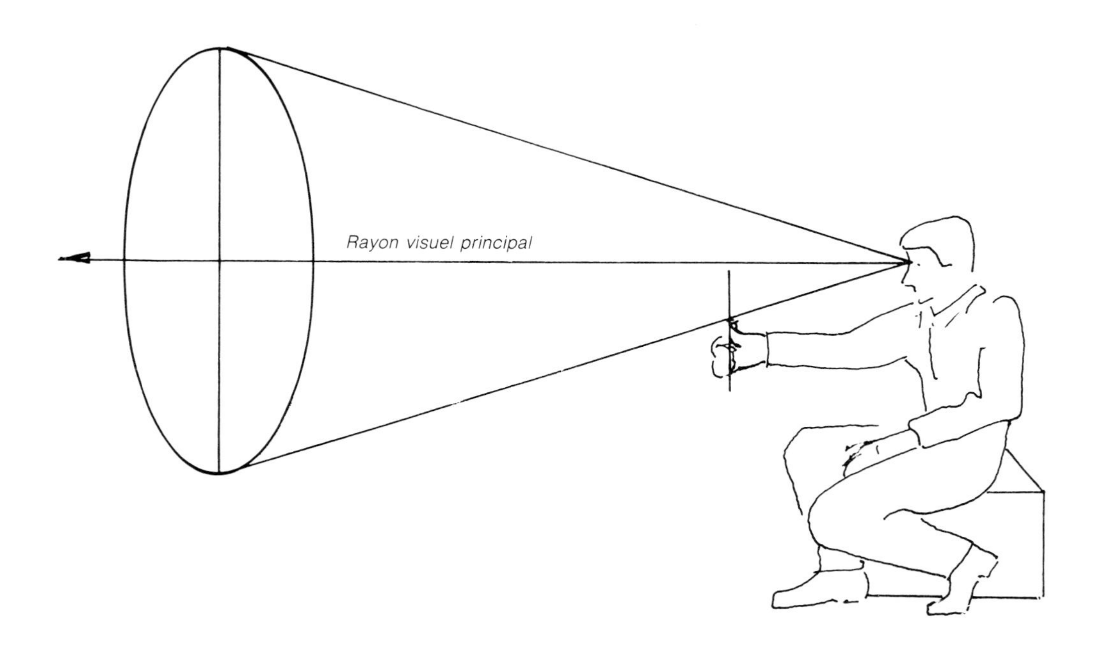

Tableau

Si, sur les vitres d'une fenêtre (dessin 4), on trace le paysage vu au travers, on obtient une perspective exacte du sujet.

Lorsque l'on dessine sur une feuille de papier, on ne fait que reporter sur cette feuille le dessin qui serait obtenu sur une plaque de verre placée entre l'œil et l'objet.

Par *objet*, on entend aussi bien un objet, qu'un meuble, qu'une architecture, qu'un personnage, voir même un vaste paysage.

La feuille de papier, ou le verre, ou la toile du peintre, s'appelle en perspective : *le tableau*.

Quand on prend les mesures (dessin 3) en étendant bien le bras pour être toujours à la même distance de l'œil et de l'objet, on les obtient sur un même plan comme si elles étaient prises sur une plaque de verre. Ainsi le tableau, plan réel, correspond à un plan fictif (plaque de verre) situé entre l'œil et l'objet ; il est toujours perpendiculaire au regard.

4.

Examinons un schéma de l'ensemble vu de profil (dessin 5) : œil, tableau ou verre, objet, et traçons les rayons visuels qui donnent la grandeur du dessin sur le tableau. Il apparaît que l'objet, le tableau ou l'œil peuvent varier de place les uns par rapport aux autres. L'étude de ces variations d'éloignement va permettre de dégager les premières règles de la perspective.

Si nous n'étudions que deux positions différentes, on comprendra que des milliers d'autres sont possibles.

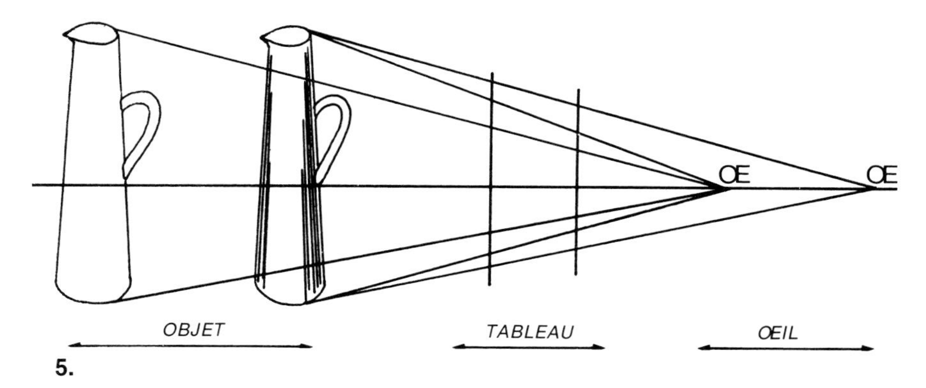

5.

VUE DE LA PYRAMIDE DU LOUVRE A TRAVERS UNE VITRE

Variations de la place de l'objet

Supposons que l'œil et le tableau restent en place, examinons deux positions différentes de l'objet. Pour simplifier, comparons deux verticales de même grandeur : AA' et BB', vues par le spectateur situé en Œ, (dessin 6).

Les rayons visuels, joignant Œ aux extrémités des verticales, donnent au tableau les points aa' et bb', ainsi on constate que sur le tableau, la verticale la plus rapprochée se présente plus grande que la verticale éloignée du spectateur.

aa' > bb'

Cette observation est complétée par celles faites pages 19 et 20.

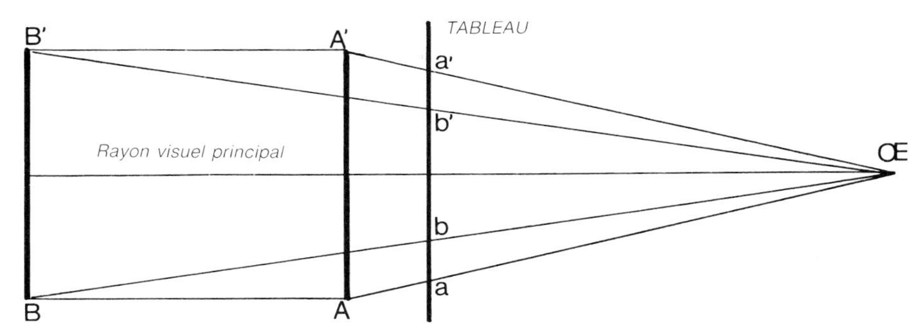

6. *ENSEMBLE DU TABLEAU VU DE CÔTÉ* *AA' paraît plus grand que BB'*

La réduction de hauteur des personnages, due à l'éloignement apparaît nettement sur cette photo. Le personnage en premier plan a son image plus grande que celle du Palais.

Règle fondamentale

Plus une grandeur est éloignée du spectateur, plus elle lui paraît petite.

Variations de la place du tableau

Supposons que l'œil et l'objet restent en place et traçons les rayons visuels correspondant à la hauteur de l'objet (dessin 7).
Si l'on rapproche plus ou moins le tableau de l'œil, il apparaît que le dessin change de grandeur. Celle-ci est donnée par le passage des rayons visuels au tableau :
— près de l'œil, le dessin est petit ;
— éloigné, il devient grand.

C'est-à-dire que son *échelle* varie. Quand on réalise un dessin grandeur naturelle, on suppose que le tableau correspond à l'objet. Pour un agrandissement, le tableau est supposé au-delà de l'objet.

Ainsi, un rapport direct existe entre la place du tableau et l'échelle du dessin. La réduction du dessin est directement proportionnelle avec la réduction de la grandeur qui sépare l'œil du tableau.

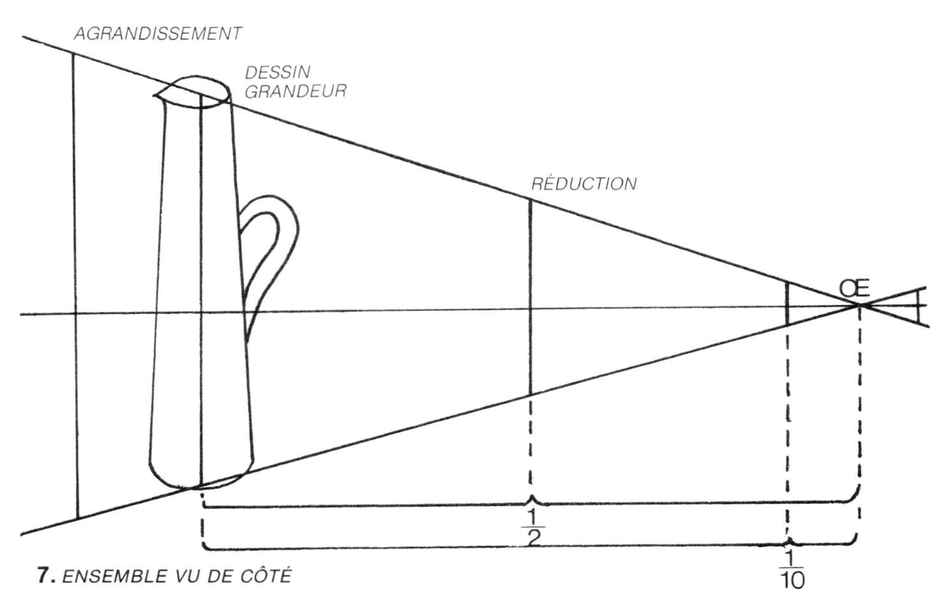

7. *ENSEMBLE VU DE CÔTÉ*

Notre-Dame de Paris

Sur une même feuille de papier on peut dessiner un simple objet de petites dimensions comme ce pot ou une cathédrale. C'est dire que l'un sera à l'échelle 1 (grandeur), l'autre sera à l'échelle 1/100e, par exemple.

Echelle du dessin

Définition : Rapport de grandeur entre les mesures de l'objet et celles du dessin.

Par exemple : quand un dessin est à l'échelle 1/2, ses dimensions sont la moitié de celles de l'objet et la place supposée du tableau se situe au milieu de la distance qui sépare l'œil de l'objet.

Si le dessin est à l'échelle 1/10e ses dimensions sont dix fois plus petites que celles de l'objet et la place supposée du tableau est près de l'œil à 1/10e de la distance qui le sépare de l'objet, etc...

Il est évident que lorsque l'on réalise un dessin à vue ou une toile peinte, le sujet n'est pas fait à une échelle déterminée.

Avec l'appareil photographique, le tableau est situé derrière l'objectif, il donne généralement une réduction, mais peut donner un agrandissement.

L'échelle du dessin est utilisée pour établir les géométraux d'un objet ou d'un ensemble. En perspective construite, l'échelle du dessin n'est valable qu'au plan frontal de référence qui sert de base pour établir l'ensemble.

Règle

Quand le tableau varie de place entre le spectateur et l'objet la grandeur du dessin, c'est-à-dire son échelle varie également.

Plus le tableau est proche de l'œil, plus le dessin est petit, plus son échelle est réduite, et inversement : plus le tableau est éloigné de l'œil, plus le dessin est grand.

Réciproquement : l'échelle fixée pour un dessin suppose le tableau à une place plus ou moins éloignée du spectateur.
1) entre l'œil et l'objet : dessin réduit.
2) correspondant à l'objet : dessin grandeur.
3) derrière l'objet : dessin agrandi.

Variations de la place de l'œil

Supposons que l'objet et le tableau restent en place : c'est le spectateur qui, cette fois, s'éloigne ou se rapproche, (dessins 8, 9 et 10).

La longueur qui sépare le spectateur de l'objet s'appelle *distance*.

Le spectateur peut évidemment s'avancer ou s'éloigner de l'ensemble qu'il observe, la forme apparente des objets s'en trouve modifiée.

Reprenons le schéma des deux verticales et du tableau (dessin 8). Traçons les rayons visuels correspondant à deux positions bien différentes de l'œil et comparons, sur le tableau, la grandeur des droites AA' et BB' suivant les deux cas :

— quand l'œil est rapproché, la différence entre les deux droites est importante (dessin 9) ;

— quand l'œil est éloigné, la différence entre les deux droites est plus réduite (dessin 10).

Le tableau reste aux mêmes dimensions mais le déplacement du spectateur modifie l'angle visuel, la divergence des rayons visuels, plus grande dans le premier cas, entraîne des différences plus grandes au plan du tableau.

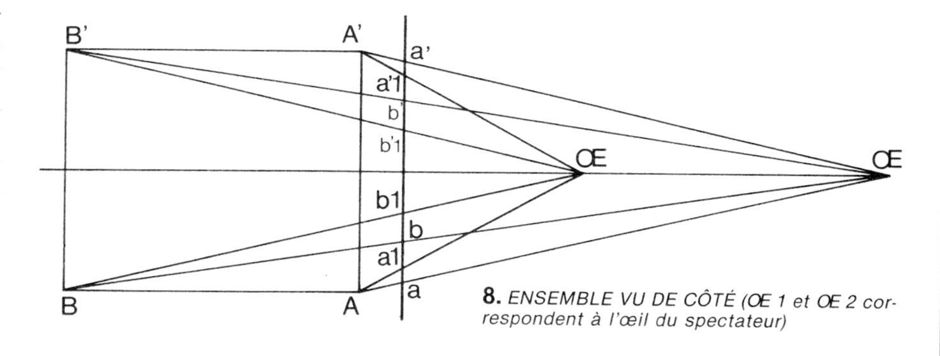

8. *ENSEMBLE VU DE CÔTÉ (Œ 1 et Œ 2 correspondent à l'œil du spectateur)*

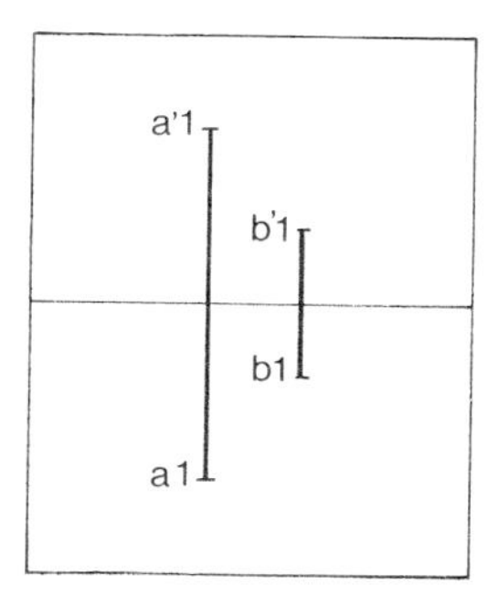

9. *SPECTATEUR RAPPROCHÉ : PERSPECTIVE ACCENTUÉE*

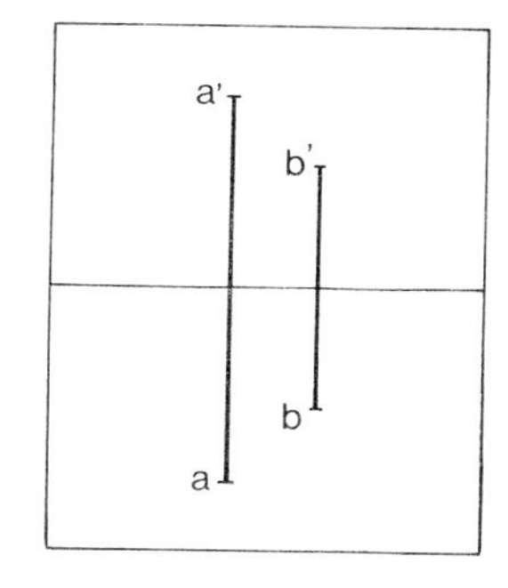

10. *SPECTATEUR ÉLOIGNÉ : PERSPECTIVE ATTÉNUÉE*

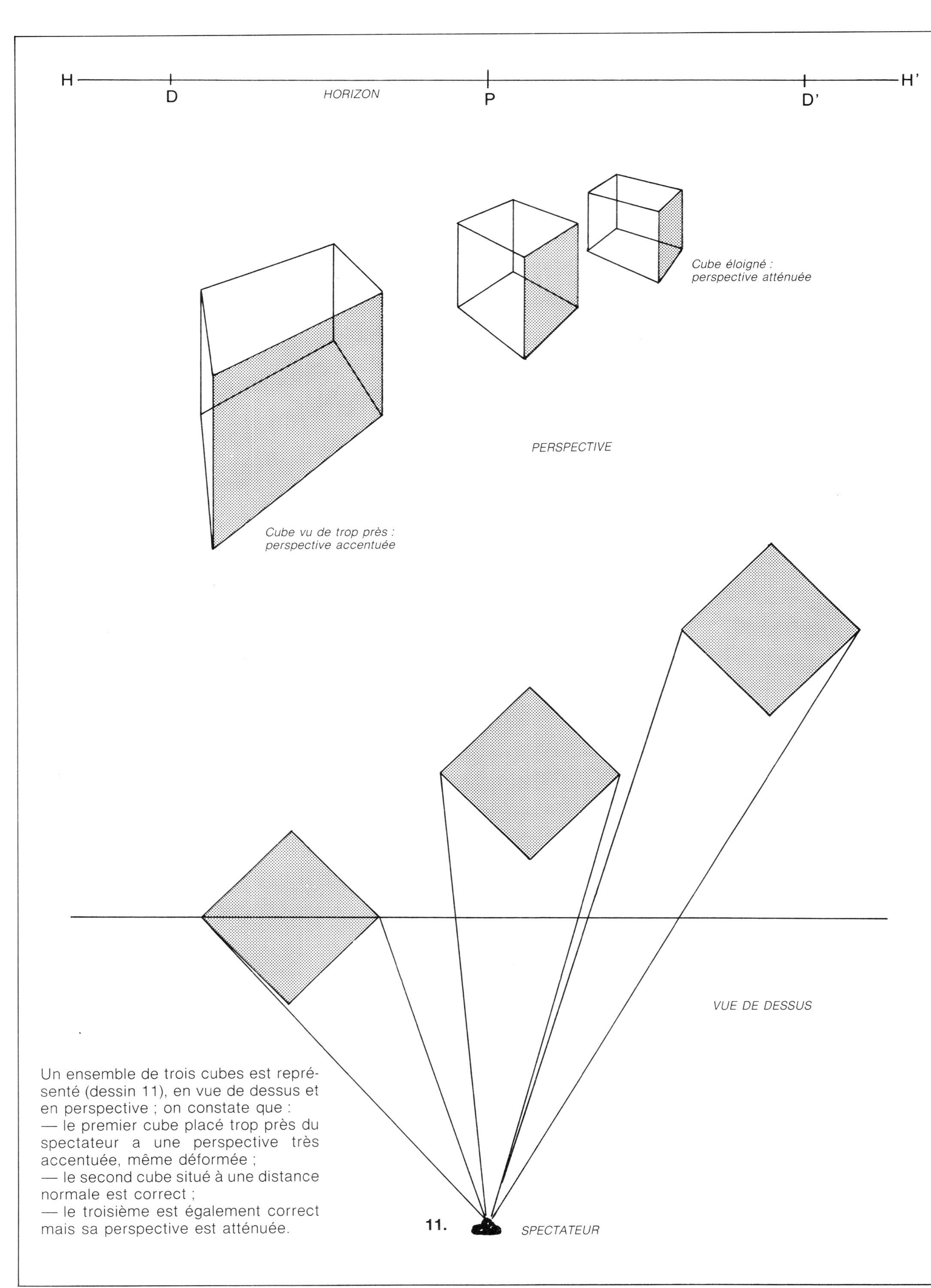

Un ensemble de trois cubes est représenté (dessin 11), en vue de dessus et en perspective ; on constate que :
— le premier cube placé trop près du spectateur a une perspective très accentuée, même déformée ;
— le second cube situé à une distance normale est correct ;
— le troisième est également correct mais sa perspective est atténuée.

11.

Voici un pavillon de FUTUROSCOPE, situé près de Poitiers, il est photographié de loin et de près.

Vu de loin, la perspective est très atténuée, les parallèles ne sont que légèrement fuyantes, l'inclinaison du plan de la façade n'apparaît pas.

Vu de près les parallèles du plan incliné deviennent nettement fuyantes.

La sphère reste inscrite dans un cercle.

Une sphère ne peut être déformée que dans une position exceptionnelle, c'est-à-dire que le rayon visuel principal ne correspond pas au centre de la sphère et que celle-ci est nettement déportée, par exemple si l'on se reporte à la figure (dessin 11). La sphère que l'on pourrait inscrire dans le cube avancé serait déformée et le contour extérieur s'inscrirait

PARALLÈLES

Sont parallèles deux droites ou plusieurs qui, deux à deux, sont dans le même plan et ne se recoupent pas, même si on les prolonge à l'infini. Peuvent être parallèles des lignes droites ou courbes ou des surfaces.

Toutes les lignes parallèles fuyantes se rejoignent en un même point.
Les rails de chemin de fer donnent un exemple très net de parallèles fuyantes.

L'aspect que prennent des parallèles fuyantes est lié à la règle fondamentale (page 17), c'est pourquoi nous revenons au schéma qui s'y rapporte (dessin 6).

Mettons-nous à la place du spectateur et reportons sur le tableau, que nous voyons ainsi de front (dessin 12), les grandeurs aa' et bb' en nous repérant sur le rayon visuel principal qui correspond à la ligne d'horizon HH'. Nous supposons ces deux grandeurs placées sur un même plan vu fuyant, elles se présentent par suite, espacées l'une de l'autre.

Si l'on trace la droite joignant ab et la droite parallèle joignant a'b', on constate qu'elles se rapprochent. Si on les prolonge, elles se rejoignent en un même point F.

Il est évident que si la hauteur qui sépare ces deux parallèles paraît de plus en plus petite du fait de l'éloignement, les deux parallèles se rapprochent à mesure qu'elles sont éloignées du spectateur.

Avant d'étudier ces différentes lignes, il est bon de préciser ce que l'on entend par «horizon».

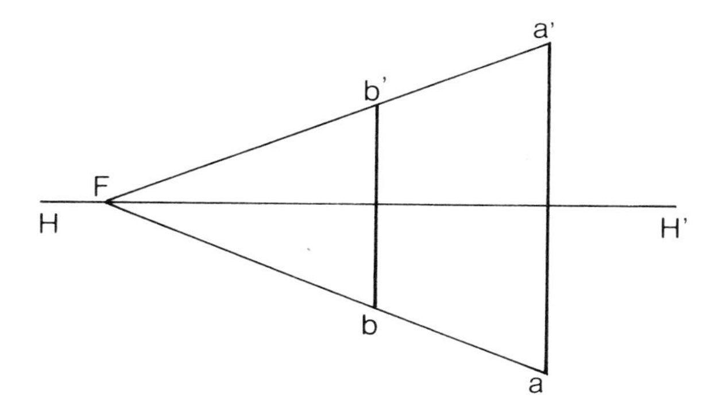

12. *LES DROITES ab et a'b', PARALLÈLES EN RÉALITÉ DEVIENNENT CONCOURANTES EN F.*

Règle fondamentale

Toutes les lignes parallèles fuyantes sont concourantes, quelle que soit leur direction : leur point de rencontre est toujours dans la direction éloignée du spectateur.
Ces lignes parallèles fuyantes peuvent être :
— des horizontales,
— des verticales,
— des obliques.

Horizon

Nous avons vu page 10 qu'une nappe d'eau donne un plan horizontal, plan réel ; mais supposons de nombreux plans horizontaux situés à des niveaux différents.

Traçons ainsi une série de plans en géométral vus de côté (dessin 13). Nous constatons que le plan horizontal, situé à la hauteur des yeux, est vu par le spectateur exactement de profil et si nous représentons ces différents plans comme celui-ci les voit (dessin 14) seul le plan à la hauteur des yeux est vu suivant une ligne droite ; il correspond au *plan horizontal principal* et la ligne qui le représente est la *ligne d'horizon*. Sur les dessins nous désignerons cette ligne par les lettres HH'.

Si nous prolongeons les différents plans horizontaux - ici plans réels, limités à une surface carrée - dans la direction éloignée du spectateur jusqu'à l'infini, tous les plans étant parallèles, aboutissent à la même ligne : la ligne d'horizon. Comme pour les lignes parallèles, les hauteurs qui les séparent ont leurs images qui diminuent de grandeur à mesure qu'elles s'éloignent.

Le premier plan situé au-dessous de la ligne d'horizon est visible dans toute sa surface mais donne une image très aplatie, et plus le plan est abaissé, donc éloigné du plan horizontal principal, plus son image présente une grande surface.

Même observation pour les plans horizontaux situés au-dessus du plan horizontal principal.

Un seul plan apparaît suivant une ligne droite, celui correspondant à la hauteur des yeux du spectateur, c'est-à-dire qu'il est vu exactement de profil.

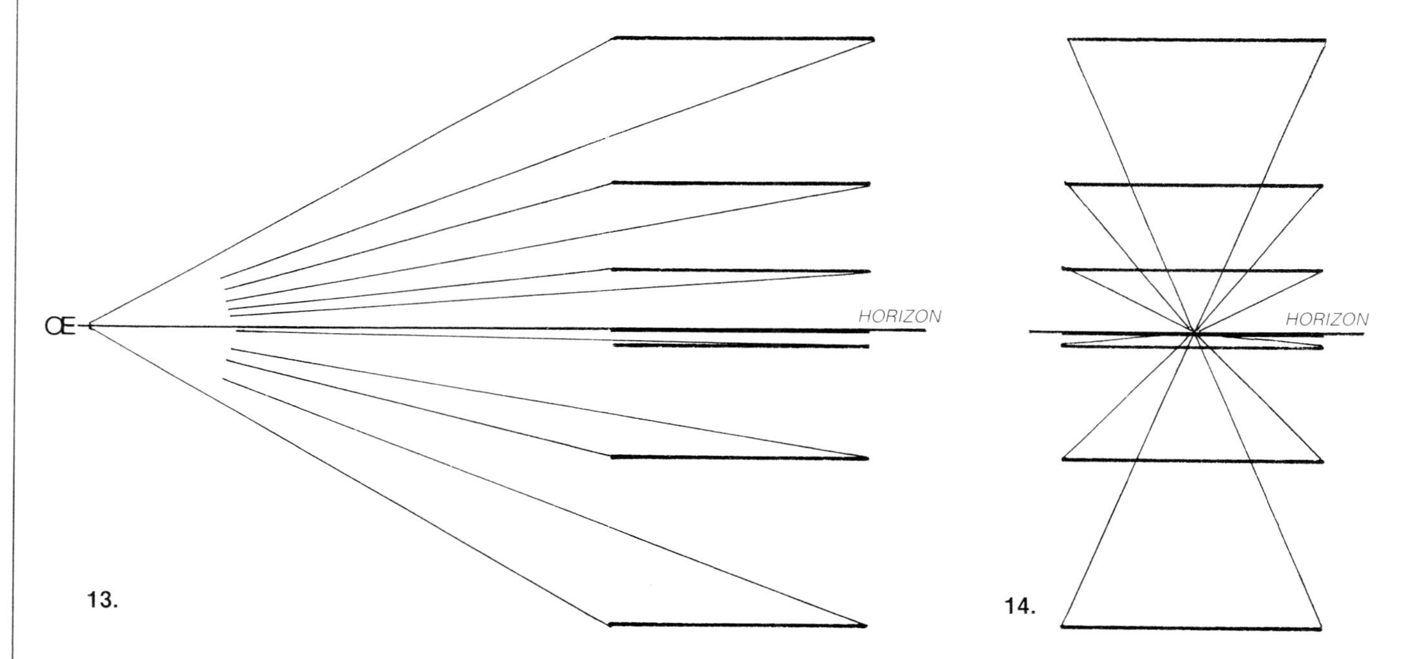

Ainsi, la mer qui est un plan horizontal, prise dans son ensemble, a sa ligne de l'infini qui se confond avec la ligne d'horizon, c'est-à-dire que l'image du plan horizontal de la mer a rejoint l'image du plan horizontal principal. La courbe de la mer est si minime, et l'on en représente sur un dessin une si petite longueur, qu'elle est négligeable.

La comparaison de ces deux gravures montre que la ligne d'horizon reste toujours au milieu de l'ensemble. La photo a été prise avec l'appareil photographique placé bien droit, ainsi que nous l'avons déjà indiqué. Le personnage ayant changé de niveau, les objets, les maisons ont leur aspect bien modifié.

Dans le premier cas, l'horizon étant placé au-dessus de la maison du pêcheur, reconnaissable à ses deux cheminées, les lignes de la toiture sont montantes vers la ligne d'horizon.

Inversement, quand le spectateur descend pour se placer en contre-bas et regarde le même sujet, les lignes des toitures descendent pour toujours rejoindre la ligne d'horizon donnée par le lointain de la mer.

La ligne d'horizon monte ou descend avec le spectateur. La direction des horizontales se modifie en fonction de la hauteur de l'horizon.

La ligne d'horizon correspond à l'axe horizontal du regard donc à l'axe de la photo, celle-ci étant prise bien horizontalement et n'étant pas recoupée.

LIGNE D'HORIZON DANS UN PAYSAGE DE CAMPAGNE

Où se place la ligne d'horizon dans un paysage de campagne ?

Nous avons vu que la ligne du lointain de la mer donne la ligne d'horizon, mais dans la campagne, ou en pays vallonné comme sur cette photo, à quelle hauteur placer la ligne d'horizon ?

Ici le photographe est situé sur une hauteur correspondant à celle du lointain, aussi nous pouvons considérer cette ligne de l'infini comme étant la ligne d'horizon. Il en est de même en plaine, l'erreur due à la hauteur des terres est insignifiante, elle ne peut se mesurer, surtout quand il s'agit de réaliser une peinture.

Règle

Le plan horizontal principal est le plan horizontal qui se situe à la hauteur des yeux du spectateur ; vu de profil, il est le seul plan horizontal qui lui apparaisse suivant une ligne droite : la ligne d'horizon.

La ligne d'horizon est toujours à la hauteur des yeux du spectateur.

La ligne de l'infini de la mer donne cette ligne d'horizon, de même, la ligne du lointain d'une vaste plaine peut être considérée comme la ligne d'horizon.

A quelle hauteur placer la ligne d'horizon ?

Dans une vue horizontale telle que nous l'avons définie au début de ce livre (voir page 14), la ligne d'horizon correspond à l'axe horizontal de la vision, ainsi elle se trouve naturellement au milieu du tableau. C'est ce que l'on obtient avec une photographie prise dans ces conditions où la ligne d'horizon est l'axe horizontal du cliché et où le rayon visuel principal correspond juste au milieu de la photo.

Quand le spectateur monte ou descend, la ligne d'horizon monte ou descend avec lui, mais comme elle reste l'axe du tableau, c'est tout le tableau qui suit le spectateur. Par contre les objets, eux, restent à leur place et leur aspect se modifie en fonction de la hauteur du spectateur, donc de la hauteur de l'horizon. Sur les deux photos de la page 28, on reconnaît la même maison de pêcheur avec ses deux cheminées, son aspect est bien différent par suite du changement de hauteur du spectateur.

Rien n'oblige le dessinateur à représenter sur son tableau tout ce qu'il voit. Pour mieux nous faire comprendre, prenons la photo d'un intérieur : il est possible de la découper à volonté pour ne conserver, par exemple, que le fauteuil ou le lustre.

Ainsi, le dessinateur qui désire représenter le fauteuil situé au-dessous de l'horizon, placera cette ligne en haut de sa feuille. Au contraire, s'il désire un dessin de lustre, la ligne d'horizon se placera au bas de la page, elle peut même se situer hors de la feuille.

Aucune règle n'impose de placer la ligne d'horizon à une hauteur déterminée et bien qu'elle marque dans une vue normale l'axe horizontal de la vision, il n'est pas recommandé de la placer au milieu du tableau. La division en deux parties égales d'un ensemble est à éviter.

Avec raison, les Anciens conseillaient de placer l'horizon au tiers inférieur ou au tiers supérieur du tableau.

Il est possible de découper une photo à volonté. Suivant ce même principe, le dessinateur ne représente que la partie qui l'intéresse.

Château de Champs

Règle

Quand la direction du regard du spectateur est bien horizontale, la ligne d'horizon correspond à l'axe horizontal de la vision.

Quand le spectateur monte ou descend, tout le tableau monte ou descend également, l'horizon suit pour rester l'axe du tableau. La forme apparente des objets se modifie en fonction de la hauteur de vue, donc de la ligne d'horizon.

La place de l'horizon donne la hauteur des yeux du spectateur, elle commande la direction de toutes les horizontales, d'où son importance.

Parallèles horizontales fuyantes

Supposons deux droites horizontales parallèles, l'une située sur le plan horizontal principal, l'autre sur le plan au sol (dessin 15).

Pour le spectateur placé en Œ, la droite AA' inscrite sur le plan horizontal principal se confond avec celui-ci, donc avec la ligne d'horizon, et son point de fuite ne peut pas être ailleurs que sur cette ligne d'horizon.

Nous avons vu dans la règle fondamentale (page 25) que toutes les lignes parallèles ont un même point de fuite ; aussi, la ligne parallèle BB' située sur l'autre plan a également son point de fuite sur la ligne d'horizon (dessin 16).

Revenons aux photos de la page 28 : si l'on prolonge les lignes horizontales qui composent la maison du pêcheur, on constate que, dans les deux cas, elles fuient à la ligne d'horizon malgré leur aspect totalement différent. De même les lignes horizontales de la jetée de la photo page 27, se joignent sur la ligne d'horizon.

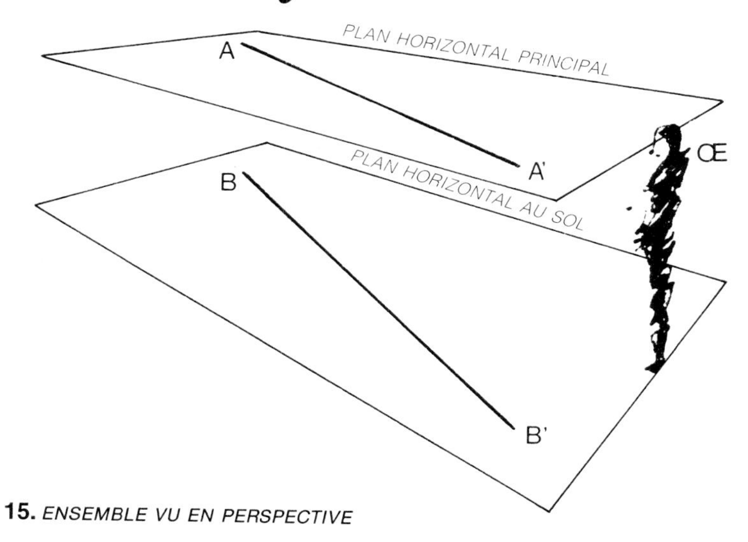

15. *ENSEMBLE VU EN PERSPECTIVE*

16. *Vue par le spectateur la droite AA' ne peut fuir que sur la ligne d'horizon : la droite BB' parallèle à AA' la rejoint sur la même ligne.*

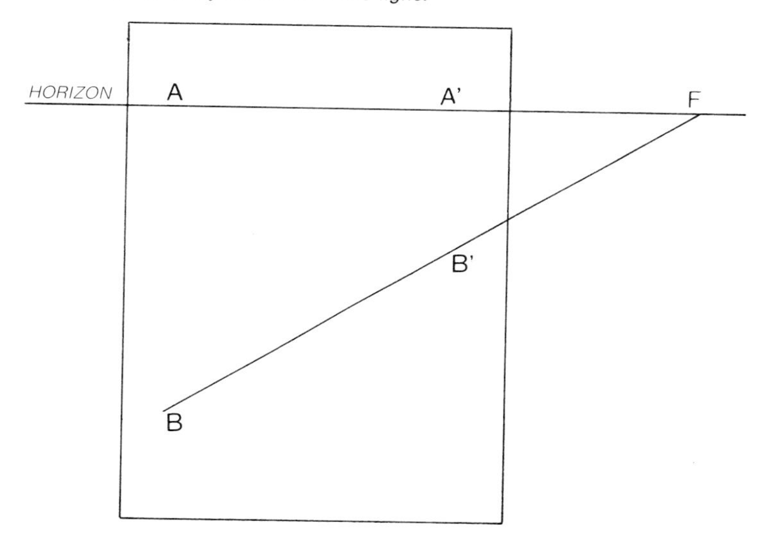

Règle

Toutes les lignes parallèles horizontales fuyantes ont leur point de fuite sur la ligne d'horizon.

En conséquence :

1. si l'on prolonge deux lignes fuyantes horizontales, on obtient à leur intersection la hauteur de la ligne d'horizon ;

2. la direction apparente des horizontales varie en fonction de la hauteur de l'horizon.

Verticales fuyantes

Quand le regard est bien horizontal, les droites verticales donnent sur le dessin des images rigoureusement verticales, elles n'en subissent aucune déformation, seule leur hauteur varie suivant leur éloignement.

Si le spectateur placé sur une hauteur baisse la tête et regarde vers le bas, *vue plongeante,* les verticales deviennent des fuyantes vers le bas. Les dimensions qui séparent ces droites diminuent de longueur, quel que soit leur sens, à mesure qu'elles s'éloignent de l'œil.

Les règles, pages 17 et 25, s'appliquent aux verticales dès qu'elles sont vues fuyantes.

Si, au contraire, le spectateur placé au niveau du sol lève la tête et regarde en haut, *vue plafonnante*, les verticales fuient vers le haut et leur point de rencontre est élevé. Il peut, dans bien des cas, se trouver sur la feuille en vue plafonnante, comme en vue plongeante.

Pour le cinéma on emploie le terme *contre-plongée* au lieu de *plafonnante*.

VUE HORIZONTALE : les verticales restent verticales

Château de Champs (porte principale)

VUE PLONGEANTE : les verticales fuient vers le bas
VUE PLAFONNANTE : les verticales fuient vers le haut

VERTICALES FUYANTES VERS LE SOL

Dans cette vue, nous constatons que :
— l'horizon est élevé, la ligne du lointain étant nettement dans la partie supérieure de la photo. L'appareil photographique était donc incliné vers le bas, il s'en suit que les immeubles rapprochés présentent des verticales fuyantes vers le sol ;
— cette inclinaison sensible pour les premiers immeubles disparaît pour ceux qui sont éloignés, c'est-à-dire pour ceux que l'on voit à une distance normale (une distance normale est estimée à une fois et demie la plus grande dimension).

Le photographe observe cette différence quand il utilise un objectif grand angle, qui prend un espace plus large, les déformations sont accentuées.

Choisy-le-Roi

Le point de fuite des verticales est ici accessible.

Notre-Dame de Paris

Règle

Dans une vue normale horizontale, les verticales gardent leurs images verticales.
Dans une vue plongeante, les verticales deviennent des parallèles fuyantes vers le bas.
Dans une vue plafonnante, les verticales deviennent des parallèles fuyantes vers le haut.

Parallèles inclinées

Des droites parallèles peuvent s'inscrire sur des plans inclinés : rue qui monte ou qui descend, toiture, rampe d'escalier...

La photo représente une rue descendante située au bord de la mer ; il est facile de retrouver la hauteur de l'horizon, celle-ci étant la ligne de l'infini de la mer. Les horizontales des maisons prolongées fuient bien à cette ligne d'horizon. Mais les parallèles fuyantes, inscrites sur le plan descendant , descendent également et leur point de fuite est, de ce fait, au-dessous de la ligne d'horizon, plus ou moins abaissé suivant l'inclinaison : c'est un point de fuite terrestre.

La même rue vue en sens inverse, donc montante, les parallèles fuyantes inscrites sur le plan montant ont leur point de rencontre au-dessus de la ligne d'horizon, plus ou moins élevé suivant l'inclinaison du plan : c'est un point de fuite aérien.

PARALLÈLES FRONTALES

Seules les images des lignes parallèles frontales restent rigoureusement parallèles : horizontales, verticales ou inclinées.

Le point de rencontre, des horizontales prolongées, correspond à la ligne d'horizon donnée par le lointain de la mer.

Les lignes inclinées de la rue ont leur point de rencontre bien au-dessous de la ligne d'horizon.

Nous constatons que les deux points de rencontre se placent sur la même verticale.

La raison est évidente : les horizontales comme les lignes inclinées s'inscrivent sur des plans verticaux parallèles.

Règle

Les parallèles fuyantes inclinées se rejoignent au-dessus ou au-dessous de la ligne d'horizon en un point plus ou moins élevé ou abaissé suivant leur inclinaison.

Le point de fuite des horizontales des habitations et le point de fuite des lignes inclinées des rues montantes ou descendantes, se présentent sur la même verticale ; ces lignes étant inscrites sur des plans verticaux parallèles.

Perspective cavalière

En dessin industriel, on emploie la perspective cavalière qui donne une représentation conventionnelle des objets.

Ainsi, un cube est représenté par un carré de front, donc : deux côtés horizontaux et deux verticaux (dessin 17).

Les arêtes fuyantes du cube se tracent avec un angle constant : 45° par exemple, leur longueur subissant une réduction conventionnelle. Toutes les lignes parallèles restent rigoureusement parallèles.

Il est évident que cette perspective ne donne pas une idée exacte des objets. Dans un dessin de grandes dimensions, on constate bien des déformations désagréables. Cependant l'emploi de cette perspective est favorisé par la facilité de son exécution.

On a cherché à remédier aux déformations par l'emploi de perspectives isométriques ou trimétriques.

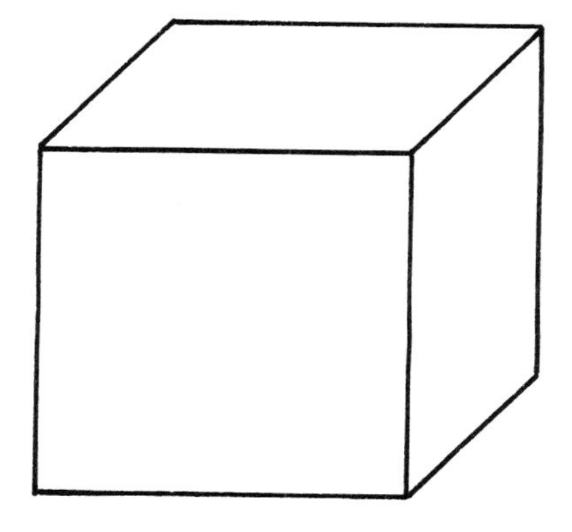

17. *Une face est vue de front : les parallèles fuient avec un angle constant, leur réduction est conventionnelle.*

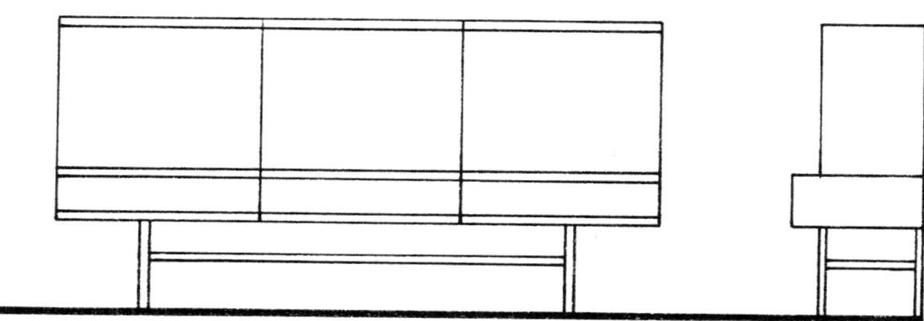

18. *GÉOMÉTRAUX*

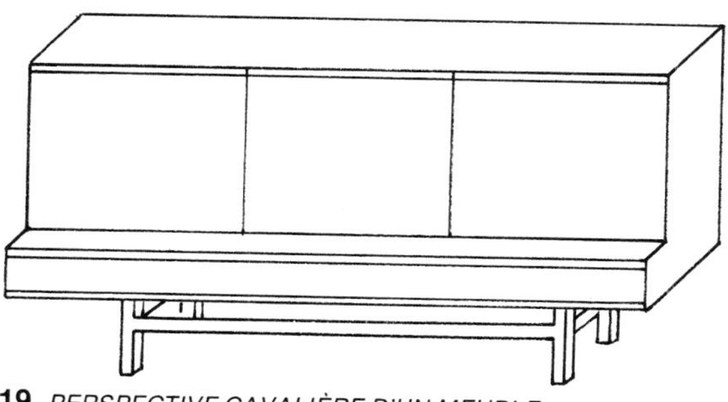

19. *PERSPECTIVE CAVALIÈRE D'UN MEUBLE*

Perspective réelle

Si nous comparons les deux perspectives (dessins 17 et 20), nous constatons que dans la perspective cavalière les principes suivants ne sont pas respectés :

— Les arêtes parallèles fuyantes doivent se joindre en un même point ;

— Les arêtes frontales éloignées sont plus petites que les arêtes proches.

Lorsqu'un côté d'un angle droit est fuyant dans une direction, l'autre côté fuit en direction inverse. L'aspect d'un angle droit vu en perspective varie en fonction de la hauteur de l'horizon et de l'orientation de l'angle par rapport au spectateur.

On ne peut voir un carré de front et deux autres côtés fuyants que dans une vue accidentelle, ainsi ces trois cubes (photo), sur le même plan vu de front. Les faces de ces cubes étant de front restent des carrés, mais les arêtes fuyantes concourent au même point de fuite situé sur la ligne d'horizon. Le cube de gauche se rapproche de la vue cavalière représentée (dessin 17).

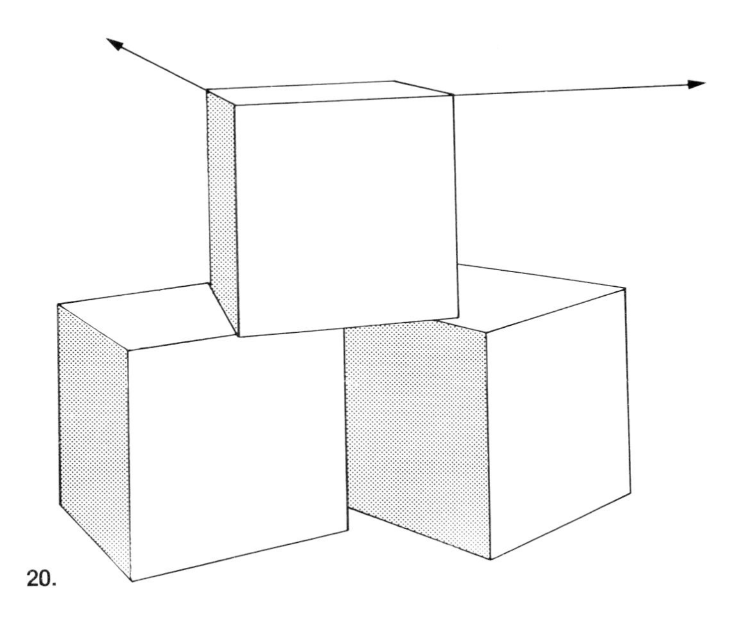

20.

Les trois cubes étant sur un même plan de front, leur face frontale reste un carré.

Déformation de l'angle droit

Le château de Foix a été photographié de loin et de très près.

La comparaison des deux vues montre que l'angle droit formé par la base de la toiture est, vu de loin, très ouvert, presque plat et qu'au contraire dans la photo vu de très près, l'angle est très accentué, les horizontales deviennent des fuyantes très marquées.

Au dessinateur de choisir entre ces deux positions, ou une intermédiaire, selon l'effet qu'il désire obtenir.

Château de Foix

Règle

Lorsqu'un côté de l'angle droit, placé horizontalement, fuit dans un sens, l'autre côté fuit toujours en sens inverse. La direction des deux côtés varie selon la place du spectateur.

CERCLE

Quelle que soit la position d'un cercle vu en perspective, il ne forme jamais d'angle, même quand il se raccorde avec une droite. Sa courbe ne donne pas un ovale, mais une ellipse.

Sans entrer dans les explications de la construction perspective d'un cercle, il est utile d'en donner ici un dessin exact (dessin 21).

Prenons un calque de ce cercle, retournons-le de droite à gauche, de haut en bas, nous constatons qu'il correspond toujours au tracé du cercle. Conclusion : *l'image d'un cercle en perspective est une ellipse.*

Si un cercle vu en perspective prend la forme d'une ellipse, il est évident que le diamètre horizontal du cercle BB' ne correspond pas au grand axe de l'ellipse : donc une corde du cercle CC' plus proche du spectateur que le diamètre apparaît plus grande. Les deux diamètres perpendiculaires du cercle n'apparaissent pas obligatoirement perpendiculaires, tandis que les deux axes de l'ellipse restent toujours des perpendiculaires géométriques.

F

H

H'

A'

B

C

O

B'

C'

A

21. *Un cercle en perspective prend la forme d'une ellipse. BB' - diamètre du cercle. CC' - grand axe de l'ellipse (corde du cercle).*

Ceci est exact tant que le cercle est visible entièrement, c'est-à-dire qu'il se trouve dans le champ visuel.

Quand il est tangent au plan neutre (dessins 22 et 23), c'est-à-dire qu'il passe par les pieds du spectateur par exemple, il devient une parabole et quand il coupe le plan neutre, plan du spectateur, pour passer derrière celui-ci, il devient une hyperbole.

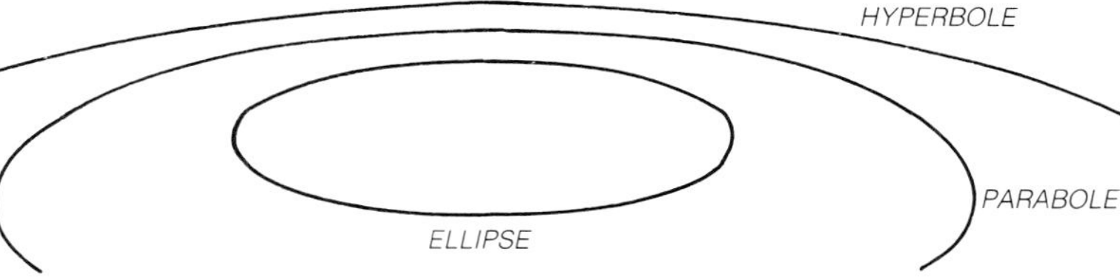

22. *Comment ce personnage voit-il ces trois cercles ?*

HYPERBOLE

PARABOLE

ELLIPSE

23. *Les trois cercles vus par le personnage.*

Trois cercles concentriques : C, C1, C2 (même point de centre).

Les cercles C1 et C2 ont respectivement des rayons r1 et r2. En considérant l'observateur placé sur le cercle de rayon r1, comme le foyer P1 d'une conique, on peut représenter respectivement les portions de cercle de rayon r1 et r2, vues sous le demi-angle maximal d'un champ visuel de 53° (soit 90° − 37°).

A/ comme une parabole où la distance séparant le foyer du point 0, de coordonnée nulle sur la parabole est telle que Op1 = Hp1 = 2r1

B/ comme une branche d'hyperbole où la distance du point A (de coordonnée nulle sur l'hyperbole) au foyer est égale à r1 + r2 et où l'asymptote est définie par y = 0,75x (puisque Tg 37° = 0,75).

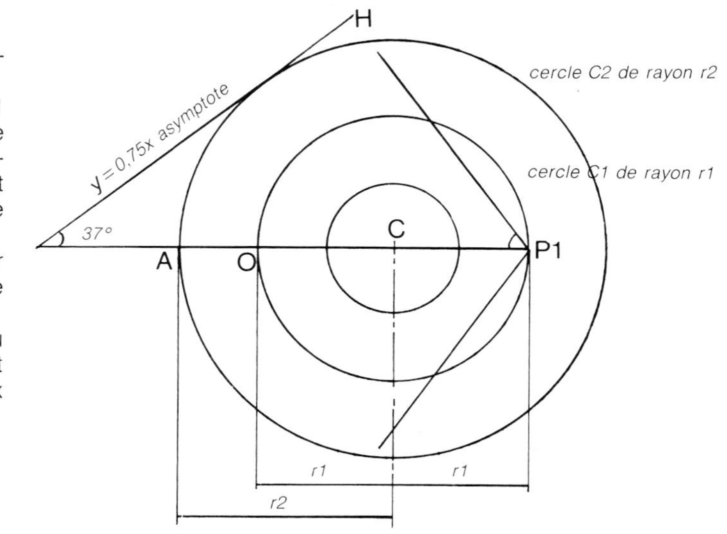

POINTS COMMUNS DU CERCLE EN PERSPECTIVE ET DE L'ELLIPSE :

La courbe est la même et aucune portion de cette courbe ne peut se tracer au compas, elle doit être faite à main levée.

Nous savons qu'avec le compas, en multipliant les centres, il est possible de tracer une courbe proche de l'ellipse mais il n'est pas question de l'emploi de telles méthodes en dessin à vue.

Quelle que soit la position du cercle, il ne forme jamais d'angle même quand sa courbe placée horizontalement, par exemple, se raccorde avec une verticale et qu'une partie du cercle n'est pas visible (photos page 45 et page 51) ou même quand son image est très aplatie.

DIFFÉRENCE DU CERCLE EN PERSPECTIVE ET DE L'ELLIPSE :

Dans le cercle (dessin 21), le diamètre dont l'image apparaît ici verticale, à sa première moitié AO qui paraît plus grande que la seconde OA' du fait de l'éloignement de celle-ci. En conséquence, le diamètre dont l'image est horizontale BB' ne divise pas la figure en deux parties égales.

Dans l'ellipse, le plus grand et le plus petit diamètre divisent chacun la figure en deux parties égales. Le grand diamètre de l'ellipse est donc une corde du cercle vu en perspective.

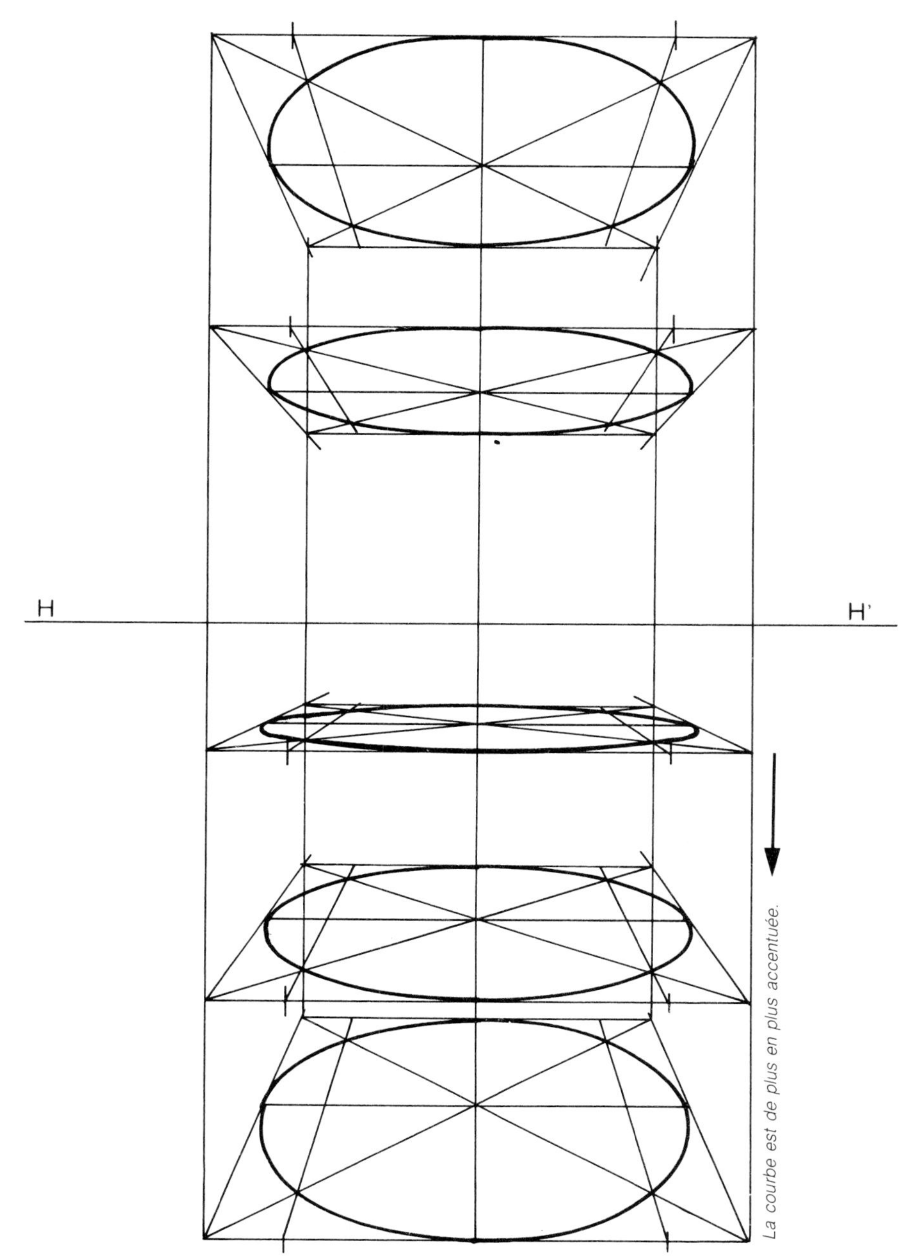

24. *Ce dessin peut être regardé dans l'autre sens, les déformations restent les mêmes.*

Cette cuve à gaz (qui n'existe plus, elle a été prise il y a quelques années) présente des cercles superposés ; ces cercles sont de plus en plus ouverts à mesure qu'ils sont élevés, donc éloignés du plan horizontal situé à la hauteur des yeux ou de l'objectif.

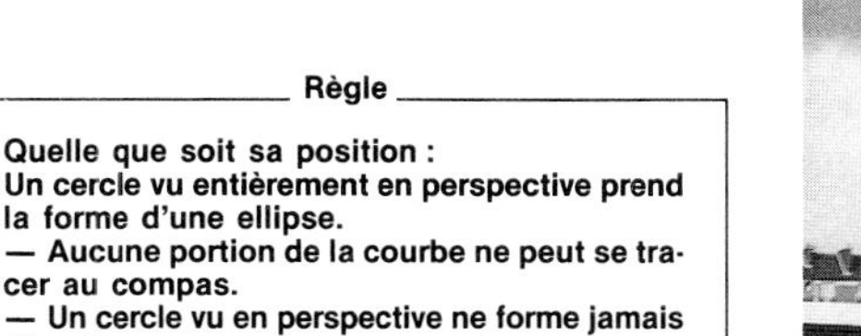

Règle

Quelle que soit sa position :
Un cercle vu entièrement en perspective prend la forme d'une ellipse.
— Aucune portion de la courbe ne peut se tracer au compas.
— Un cercle vu en perspective ne forme jamais d'angle.

Déformation du cercle

Les tours rondes du Moyen-Age sont en France très nombreuses.

Nous avons pris volontairement deux exemples opposés : les cercles formés par la partie haute du château de Sully-sur-Loire sont vus du sol, leur courbe est très accentuée. Par contre à Beauvais les cercles des tours sont photographiés du haut de la cathédrale, leurs courbes sont inversées et se rapprochent du cercle que l'on pourrait tracer au compas.

Château de Sully-sur-Loire

Nous retrouvons des déformations semblables dans cette photo de bobines que l'on peut regarder horizontalement ou verticalement. L'orientation ne change rien à la règle.

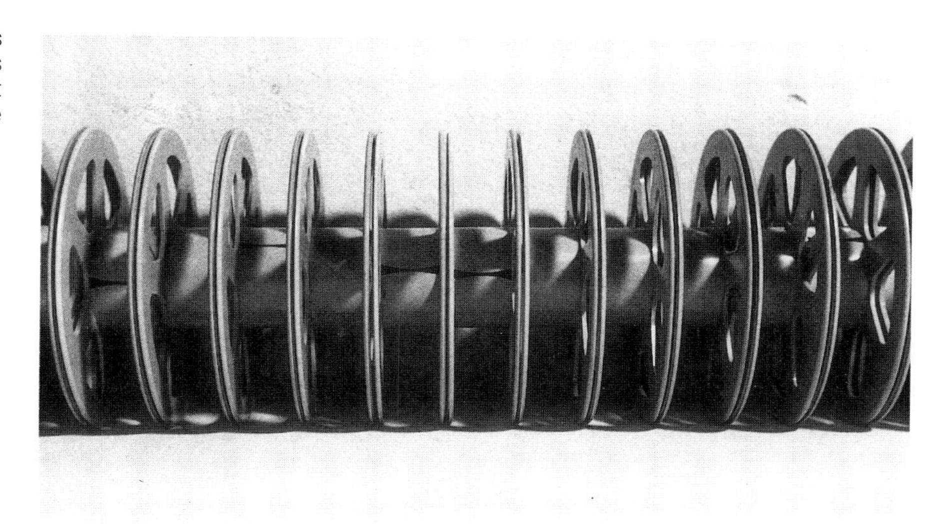

Sur cette vue de l'ascenseur de la Pyramide du Louvre, le cercle supérieur et le cercle inférieur présentent deux courbes de formes opposées.

L'escalier s'inscrit dans une forme cylindrique plus grande.

On remarque que les personnages situés au sol apparaissent plus grands que ceux situés à la partie supérieure, ceux-ci étant plus éloignés. Ils ne sont pas vus suivant un plan de front mais suivant un plan incliné.

Règle

Plus un cercle, placé horizontalement, est éloigné de la ligne d'horizon, plus sa courbe est accentuée.

Plus un cercle placé verticalement est éloigné du plan vertical principal, c'est-à-dire de l'axe vertical du regard, plus sa courbe est accentuée.

La photo de ces roues, prise de très près, accentue la différence de l'image des deux cercles, d'autant plus que la roue de droite est vue franchement de profil, tandis que le cercle de la roue de gauche forme une ellipse assez ouverte.

Arcades

Tracer trois arcades en demi-cercle.

Mettre les piliers en place soit par la construction du report de distances égales, soit par le principe des diagonales (voir le chapitre page 59 : Diagonales).

Tracer les rectangles enfermant chaque arcade ainsi que la fuyante correspondant à la retombée des demi-cercles.

Les diagonales de la partie basse donnent à leur intersection l'axe de chaque arcade. Le tracé de cet axe donne le point le plus élevé de la courbe et deux carrés enfermant chacun un quart de cercle.

Tracer les diagonales AO et OB sur lesquelles nous devrons obtenir un point du demi-cercle.

Tracer en A et N deux lignes à 45° qui se recoupent en L. Reporter la mesure NL en L' sur la verticale et, du point obtenu, tracer une parallèle fuyante, elle donne les points cherchés sur les diagonales : points 1, 2, 3, 4, 5 et 6.

Château de Grand-Précigny

Cercles concentriques

Les cercles concentriques subissent des déformations qui correspondent les unes par rapport aux autres. Les diamètres de ces cercles se confondent, mais les axes des ellipses sont différents. Dans la vue présente, les axes dont l'image est verticale se confondent, le centre des cercles étant sur l'axe vertical du regard.

Retraçons ces cercles concentriques (dessin 25) avec leurs différents axes. Si l'on considère les largeurs A B C et D, on constate que les largeurs B et D sont les plus grandes et égales, car elles se présentent de front sur un même plan. Elles ne subissent par rapport à leur grandeur réelle que la réduction due à leur éloignement.

La largeur A est plus petite, bien que plus proche du spectateur car elle subit surtout la réduction due à sa position vue en raccourci.

La largeur C est encore plus faible car elle subit à la fois la réduction due au raccourci et la réduction de son éloignement par rapport à la largeur A.

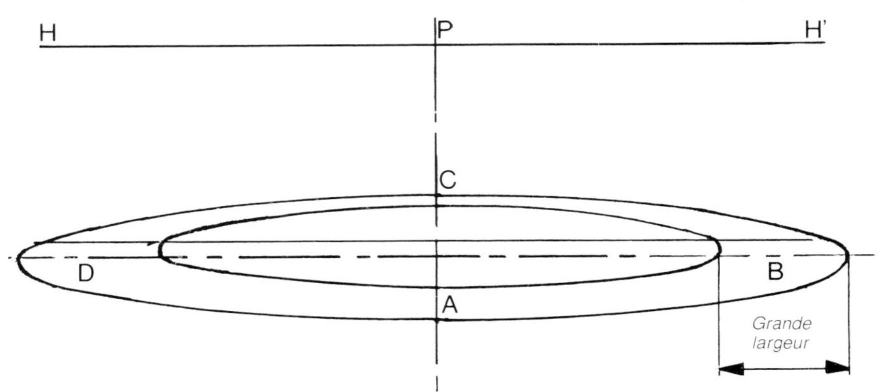

25. *Si les diamètres des deux cercles concentriques se confondent, les axes des ellipses sont différents, la plus grande largeur de la couronne se présente de front, sur le grand axe.*

Jardin du château de Champs

Règle

Aux grands axes des cercles concentriques, vus en perspective, correspondent les grandes largeurs des couronnes qui sont égales, aux petits axes correspondent les petites largeurs des couronnes qui sont inégales, la plus proche étant plus large que la plus éloignée.

Déformation du cercle

L'arche du Pont Neuf est en plein cintre, les deux courbes limites sont en demi-cercles. Vues de très près nous constatons une forte différence entre l'image de la courbe avancée et celle de la courbe éloignée.

La courbe éloignée donne un demi-cercle normal, tandis que la courbe rapprochée, vue de très près, devient une parabole.

L'image de ces deux courbes, sur le papier, donne une forte différence entre la largeur de la couronne, prise verticalement en haut et les largeurs horizontales prises à droite et à gauche.

Une vue rapprochée, avec une distance très courte, accentue l'effet perspectif jusqu'à la déformation.

Les photographes le constatent quand ils utilisent l'objectif grand angle au lieu de l'objectif normal.

Pont Neuf

Cette photo donne un exemple de déformations de cercles superposés et concentriques.

Nous observons que le cercle supérieur de la vasque principale se présente suivant une ligne droite horizontale, c'est-à-dire qu'il correspond au plan horizontal principal qui donne la ligne d'horizon.

Les cercles des marches placés au-dessous de ce plan ont leurs images formant des ellipses de plus en plus ouvertes à mesure qu'elles sont éloignées de l'horizon.

Par contre les cercles placés au-dessus de l'horizon présentent des courbes inverses.

Les différences des diamètres ne modifient en rien cette règle.

Fontaine à Auxerre

Formes coniques

Une forme conique se dessine en perspective par le tracé du cercle de base et de l'axe perpendiculaire à ce cercle, hauteur du cône que l'on indique (dessin 26) en N en R ou en S. Partant du sommet, on trace les tangentes au cercle.

Les génératrices, lignes extérieures de la forme apparente du cône, se rejoignent donc sur l'axe. Leur point de tangence avec le cercle est variable suivant leur inclinaison.

Les points de tangence des génératrices d'un cylindre correspondent à la plus grande largeur du cercle A A'. Les points de tangence des génératrices d'un cône sont plus rapprochés :
- cône sommet N, points de tangence B B' ;
- cône sommet R, points de tangence C C' ;
- cône sommet S, points de tangence D D'.

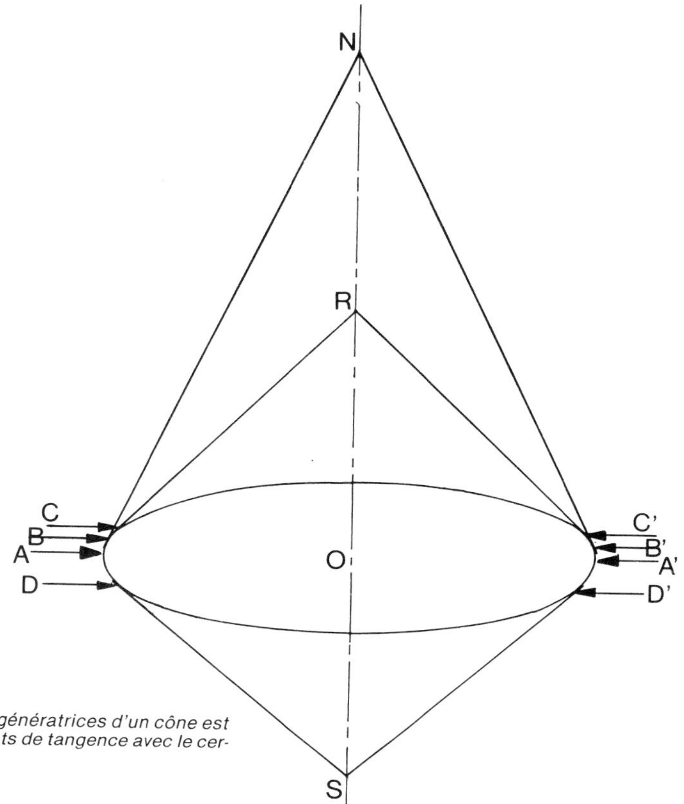

26. *Plus l'angle des génératrices d'un cône est ouvert plus leurs points de tangence avec le cercle sont rapprochés*

Des objets à plan circulaire ont été réunis : pour les représenter correctement, il est recommandé de tracer :

— Les cercles complètement, même s'ils ne sont pas vus entièrement.

— Les deux diamètres des cercles, celui dont l'image est la plus grande et celui dont l'image est la plus petite. Ces deux diamètres n'apparaissent pas forcément perpendiculaires.

— Les axes des différentes formes coniques perpendiculaires aux plans des cercles ; ils correspondent à l'intersection des diamètres déjà tracés mais pas à l'intersection des axes des ellipses.

— Les génératrices des formes coniques, lignes du contour apparent avec leurs prolongements qui se rejoignent naturellement sur la prolongation de l'axe de chaque forme.

TRACÉS ÉLÉMENTAIRES

**Une perspective précise s'obtient
en partant de dessins géométraux
de l'objet ou de l'ensemble à dessiner.
Lorsqu'on réalise un dessin à vue ou un tableau,
il ne peut être question d'établir tout le dessin
par des tracés perspectifs.
Cependant, certaines constructions simples,
d'une application pratique, permettent
de placer de nombreux détails correctement.
Dans ce chapitre, nous allons étudier ces tracés :**

- **recherche de la ligne d'horizon ;**
- **report de hauteurs égales ;**
- **emploi des diagonales ;**
- **tracé des parallèles.**

**Pour toutes ces constructions, nous supposons
que le dessinateur a déjà établi à vue
un certain nombre d'éléments essentiels
de son dessin ou de son tableau.**

Recherche de la ligne d'horizon

Il est indispensable de repérer rapidement dans un dessin la hauteur de l'horizon et d'en tracer la ligne, si elle se trouve sur la feuille ou la toile. Si elle est hors du tableau, ne jamais perdre le sentiment de sa place.

La hauteur de la ligne d'horizon se retrouve en prolongeant deux lignes horizontales parallèles fuyantes. Voir les constructions faites sur les maisons situées au bord de la mer (photos page 28), leurs horizontales fuient à la ligne de l'infini de la mer.

TROIS CAS PEUVENT SE PRÉSENTER.

1er CAS. On a les deux lignes parallèles fuyantes et leur point de fuite est dans la feuille.

CONSTRUCTION (n° 1)

Prolonger les deux parallèles ; leur point de rencontre donne la hauteur de la ligne d'horizon que l'on peut tracer.

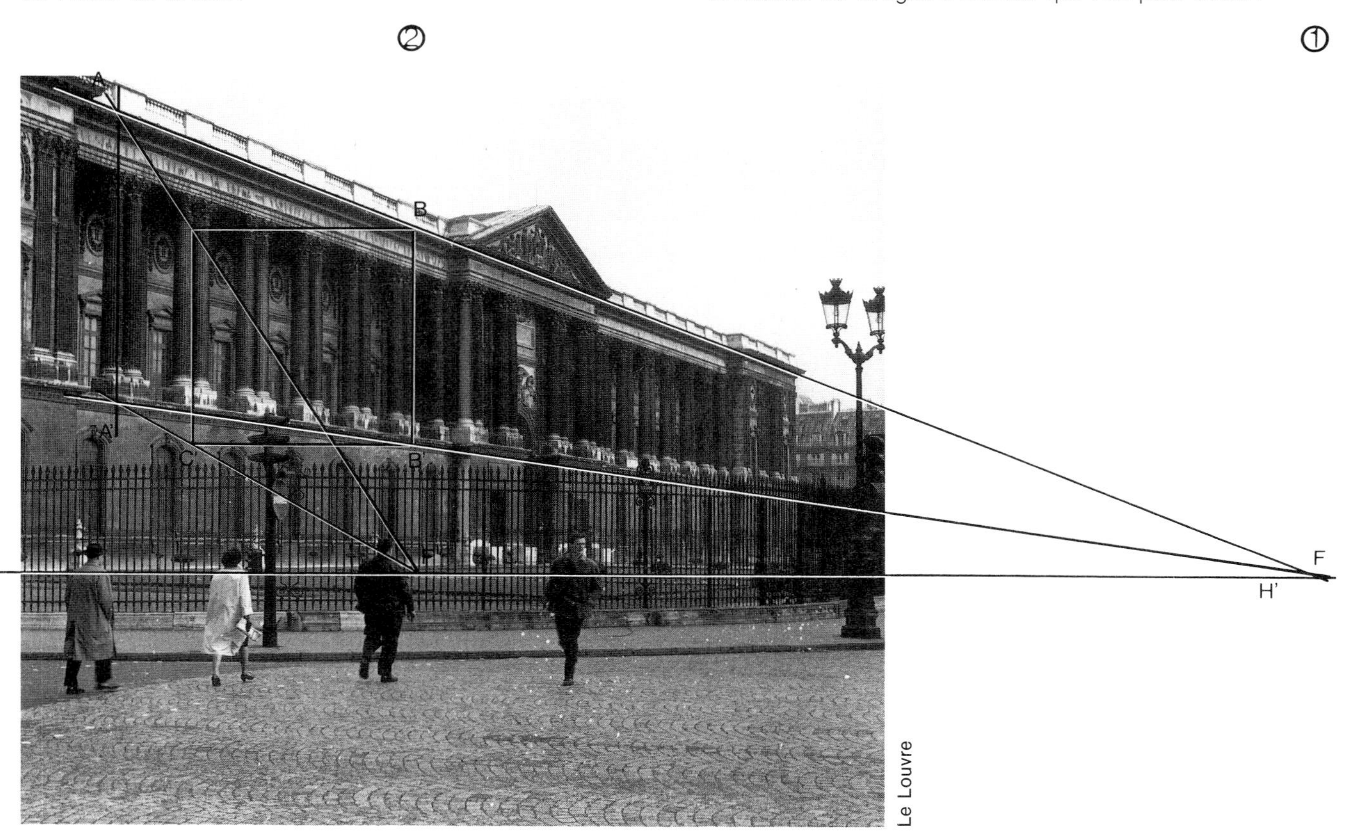

Le Louvre

2e CAS. On a deux lignes horizontales fuyantes mais leur point de fuite est trop éloigné pour être atteint.

CONSTRUCTION (n° 2)

Tracer deux verticales éloignées l'une de l'autre et recoupant les horizontales.

Partant des points d'intersection des horizontales fuyantes avec la verticale éloignée, points B et B', tracer deux horizontales se dirigeant vers la verticale A A'.

Arrêter ces horizontales par une verticale située proche de A A', on obtient les points C C'.

Joindre AC et A'C', prolonger ces droites ; leur intersection F' donne la hauteur de l'horizon que l'on peut tracer.

Les droites A C et A' C' sont des horizontales fuyantes placées sur les mêmes plans horizontaux que les horizontales initiales, elles donnent un point de fuite dans la feuille. En fait le plan vertical fuyant sur lequel les deux parallèles étaient inscrites a subi une rotation suivant la verticale A A'.

H F H'

B'

A'

B

A

27.

3e CAS. On n'a pas de lignes parallèles fuyantes mais deux verticales de même grandeur, situées au même niveau : deux personnages par exemple, ou encore deux cercles superposés horizontaux fuyants. Ceux-ci permettent le tracé de deux verticales à des emplacements quelconques donnant ainsi deux mêmes grandeurs au même niveau dont l'image est de grandeur différente.

CONSTRUCTION (dessin 27)
Joindre les bases et les sommets des verticales par les fuyantes A B et A' B' ; on trace ainsi deux horizontales parallèles fuyantes que l'on prolonge ; leur intersection donne la hauteur de l'horizon.

Report d'une même grandeur à des éloignements différents

ÉCHELLE DES HAUTEURS

Application des observations faites page 17, qui nous ont fait comprendre la réduction subie par une grandeur suivant son éloignement du spectateur.

Supposons que nous ayons plusieurs personnages à placer dans une composition (dessin 28). Le premier personnage est indiqué, ainsi que la ligne d'horizon. Comment placer les autres personnages ?

CONSTRUCTION (dessin 28)

Mener deux droites fuyantes passant l'une par la tête, l'autre par les pieds du personnage A et se joignant à un point de fuite quelconque sur la ligne d'horizon.

Les deux fuyantes ainsi tracées sont deux parallèles, donc la hauteur qui les sépare est constante et toutes les verticales joignant ces deux lignes, représentent la même hauteur. C'est ce que l'on appelle une *échelle des hauteurs*.

La hauteur du personnage situé en B s'obtient en traçant une horizontale des pieds du personnage à la fuyante correspondante de l'échelle des hauteurs AFq. Du point obtenu, on élève une verticale jusqu'à l'autre fuyante A'Fq, et du nouveau point obtenu on mène une horizontale jusqu'à la verticale élevée de B. La hauteur du personnage B est ainsi indiquée.

Même méthode pour les autres personnages, ils sont supposés être de même grandeur.

Les hauteurs sont déplacées de l'échelle des hauteurs aux personnages par des horizontales sur un même plan de front : en conséquence, aucune modification de dimensions n'intervient.

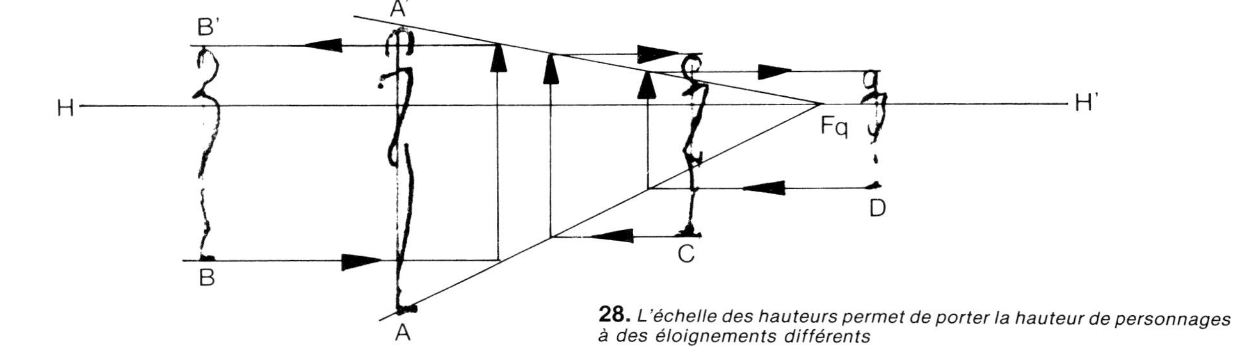

28. *L'échelle des hauteurs permet de porter la hauteur de personnages à des éloignements différents*

Règle

Quand une grandeur est déplacée sur un même plan de front, la mesure de son image ne change pas.

Report d'une même grandeur à un niveau différent

Supposons que nous ayons à indiquer deux personnages, la hauteur du premier situé en A, est donnée ainsi que la ligne d'horizon. Indiquer le personnage B plus éloigné et situé sur une hauteur : talus ou escalier.

CONSTRUCTION (dessin 29)
Passant par les pieds et la tête du personnage A, tracer deux fuyantes allant à un point de fuite quelconque Fq sur la ligne d'horizon. On obtient ainsi une échelle des hauteurs.

Rechercher la hauteur du talus ou de l'escalier à l'échelle du premier personnage ; pour cela, tracer une horizontale de N à la ligne AFq, et de ce point N tracer une verticale. De N', conduire une horizontale jusqu'à la verticale élevée de n. Du point ainsi obtenu, tracer une horizontale fuyante joignant le point Fq d'une part et la verticale A A' de l'autre. Elle donne sur l'échelle des hauteurs le niveau où se trouve le personnage B, marqué sur la verticale A A' par le point b.

Reporter de ce point la hauteur du personnage A en b'.

Tracer la fuyante b'Fq.

Joindre par une horizontale le point B, base du deuxième personnage à la fuyante bFq. Du point obtenu, élever une verticale jusqu'à la fuyante b'Fq, et du nouveau point, mener une horizontale jusqu'à la verticale élevée en B, elle donne la hauteur du personnage.

Même construction sur la photo, la hauteur des marches est portée à l'échelle des hauteurs sur la verticale initiale, correspondant au premier personnage en B B'. Ici également les personnages sont supposés être de même hauteur.

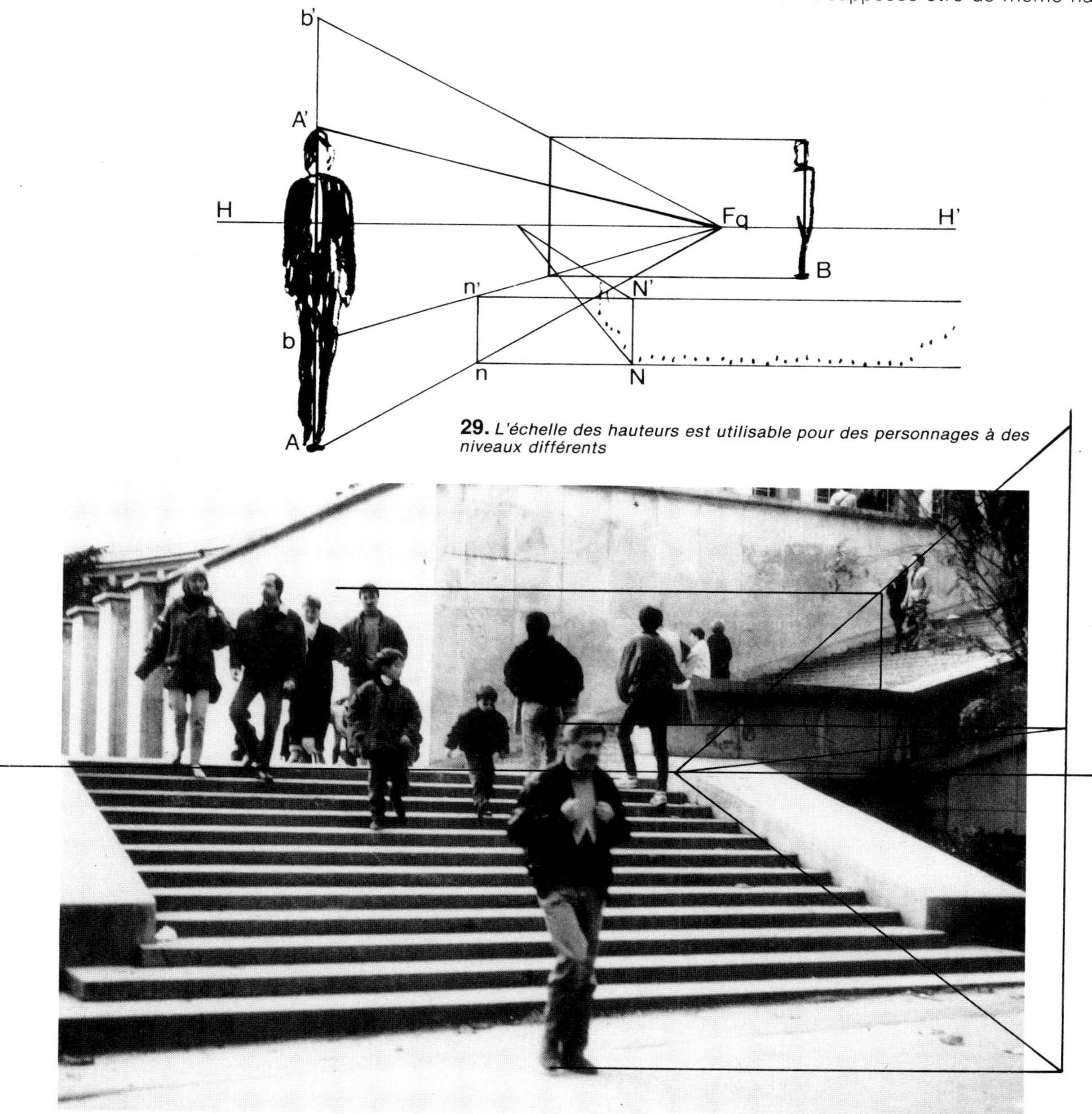

29. *L'échelle des hauteurs est utilisable pour des personnages à des niveaux différents*

DIAGONALES

Une droite horizontale fuyante appartient souvent à une surface régulière (un carré ou un rectangle), sinon cette surface régulière peut être construite en traçant aux extrémités de la fuyante deux verticales joignant soit une parallèle à la fuyante, soit la ligne d'horizon. Ainsi les constructions suivantes peuvent toujours être appliquées.

Diviser une fuyante en deux parties égales

En géométral, pour diviser un côté quelconque d'un carré ou d'un rectangle, on trace les deux diagonales et, de leur point d'intersection, on mène une perpendiculaire sur le côté à diviser.

PERSPECTIVE

Pour diviser la droite AB, mener les diagonales AB' et A'B ; de leur point d'intersection, abaisser une verticale sur AB en M, la droite est ainsi divisée en deux parties égales. La verticale divise également la surface AA' B'B en deux.

Une horizontale fuyante peut être divisée de même manière, en se servant de la ligne d'horizon (dessin 30).

La verticale AA', étant frontale, ne nécessite pas de construction pour être divisée ; on porte directement les mesures.

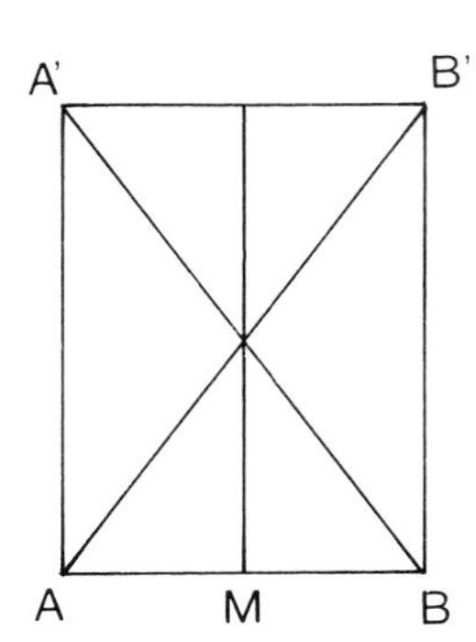

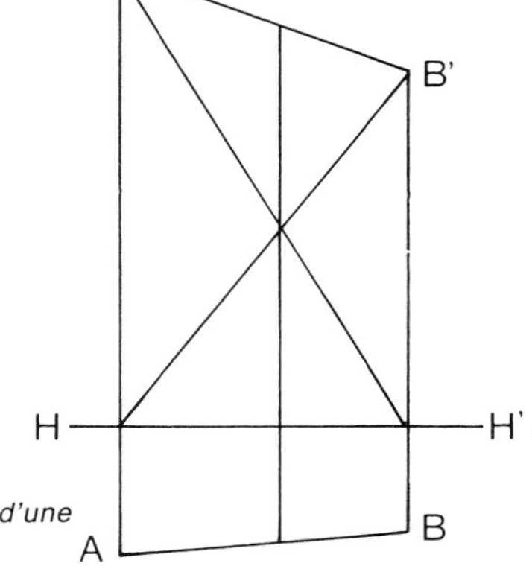

30. *Division en deux parties égales d'une fuyante ou d'une surface régulière*

Pavillon Gabriel à Choisy-le-Roi

Report symétrique

PERSPECTIVE

Reporter symétriquement la largeur du pavillon de ce château.

Tracer les diagonales de la surface AB' et A'B, A'C' étant la largeur à reporter, du point C ou C' tracer une droite passant par le point d'intersection des diagonales. Cette droite donne sur l'horizontale AB une distance BE égale à AC.

Pour l'exactitude de tous ces tracés, il est recommandé de chercher des droites se recoupant à intersections franches.

Château d'Ancy-le-Franc

31. *BC = AE*

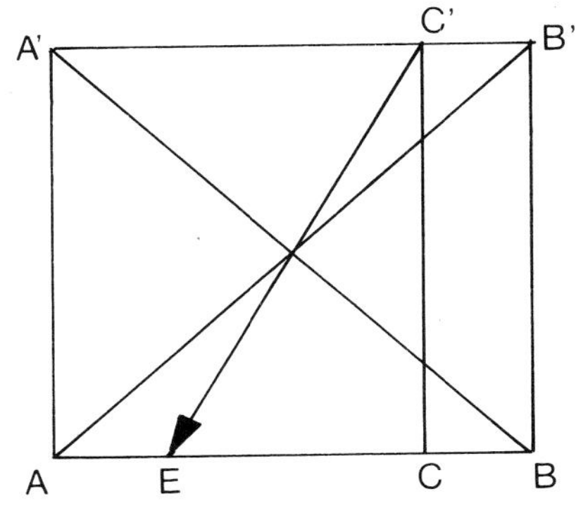

Ayant une surface carrée ou rectangulaire en perspective, l'emploi des diagonales permet de reporter une largeur égale à l'intérieur ou à l'extérieur de la surface.

Diviser une fuyante en trois parties égales

En géométral, on reprend la même construction que précédemment, on trace ensuite les lignes A'M et B'M, elles recoupent les diagonales en N et N' ; de ces points d'intersection, on abaisse des verticales, elles divisent la ligne AB en trois parties égales.

Cette construction est l'application du théorème suivant : *les médianes d'un triangle se recoupent en un même point situé aux deux tiers de leur longueur en partant du sommet dont elles sont issues.*

Ici les triangles ABB' et AA'B sont considérés, et les droites A'M et AO comme les droites B'M et BO sont des médianes.

PERSPECTIVE

Pour diviser la droite AB, tracer les diagonales, de leur point d'intersection, abaisser une verticale en M ; tracer ensuite les lignes A'M et B'M et de leur point d'intersection avec les diagonales N et N', abaisser les verticales : la ligne AB est divisée en trois parties égales.

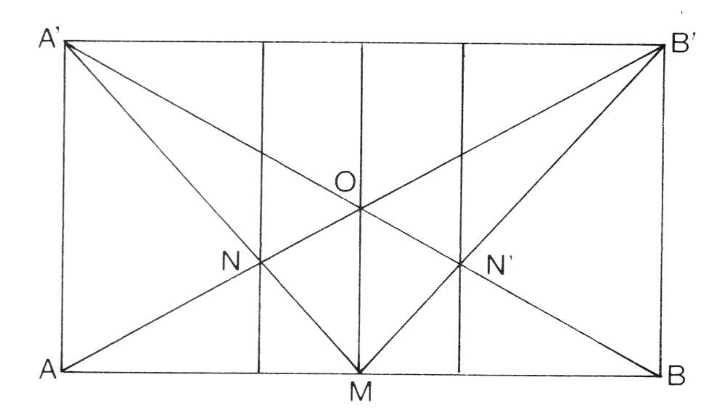

32. *Le géométral confirme la construction perspective*

Le Louvre

Emploi des diagonales pour porter des distances égales

Dessiner sur une avenue une rangée d'arbres espacés à des distances égales, ayant en place la ligne d'horizon et la largeur qui sépare les deux premiers arbres. Le dessin 33 donne le tracé en géométral.

CONSTRUCTION

Les deux premiers arbres A et B étant placés, faire passer par leur base une fuyante joignant la ligne d'horizon au point F.

Porter sur le premier arbre deux fois la même mesure ce qui donne les points M et A'. De ces points, tracer des fuyantes joignant le point F. La fuyante MF recoupe le deuxième arbre en N.

Tracer la diagonale A'N, son intersection avec la ligne AF donne le point C, base du troisième arbre d'où l'on élève une verticale qui permet de recommencer la même opération pour placer l'arbre suivant.

L'opération est répétée autant de fois qu'il est nécessaire pour placer les autres arbres.

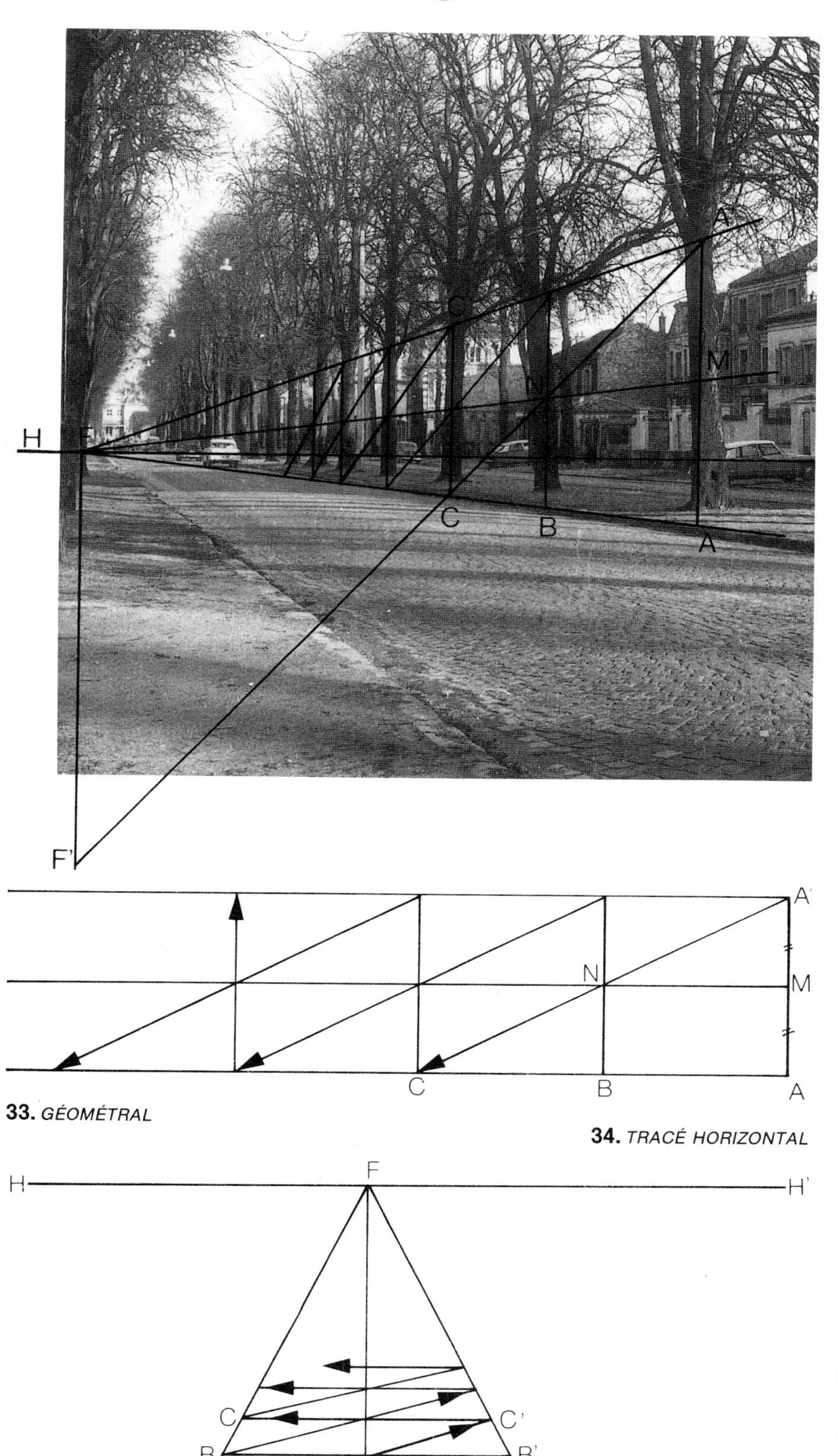

33. *GÉOMÉTRAL*

34. *TRACÉ HORIZONTAL*

REMARQUES

Si l'on prolonge les diagonales de la photo, on constate qu'elles se rejoignent toutes à un même point F' situé sur la verticale abaissée du point F. Cette verticale est la ligne de fuite du plan vertical auquel appartiennent toutes les droites correspondant aux arbres.

Cette construction est aussi valable employée horizontalement (dessin 34) pour mettre en place, par exemple : des traverses de chemin de fer, un carrelage ou un plancher....

Diviser une fuyante en un nombre quelconque de parties égales

CONSTRUCTION (dessin 35)
En géométral, pour diviser la droite AB en un certain nombre de parties égales, on trace une droite quelconque Ax partant de l'extrémité de la ligne à diviser et formant un angle aigu avec elle. Ensuite l'on porte sur la droite Ax, en partant de A, le nombre de parties égales désirées. Joindre par une droite la division extrême au point B, tracer des parallèles géométriques à cette dernière ligne passant par les points de division, elles recoupent la droite AB en parties égales.

C'est l'application du théorème suivant : *des parallèles équidistantes provoquent sur toutes les droites qu'elles interceptent des segments égaux.*

La division de la droite AB a été faite ici en partant de deux mesures différentes portées sur la droite Ax, afin de bien montrer que la mesure à porter sur Ax est quelconque.

En perspective, une fuyante est divisée de la même façon.

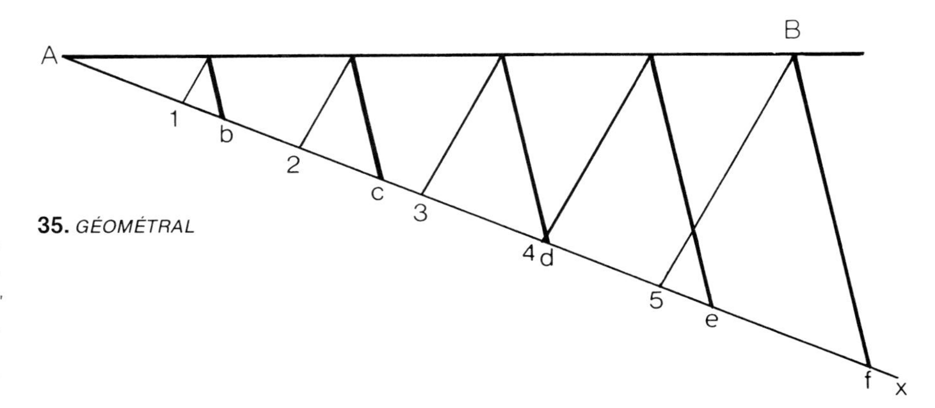

35. *GÉOMÉTRAL*

36. *PERSPECTIVE*

CONSTRUCTION (dessin 36)
Du point A mener une horizontale sur laquelle on porte des mesures égales quelconques.

Joindre la dernière division à l'extrémité de la droite AB et prolonger jusqu'à la ligne d'horizon. On obtient un point de fuite quelconque Fq1.

Enfin, par les divisions portées sur l'horizontale, mener des fuyantes au point Fq1. Elles divisent la droite AB en parties égales.

Trianon de Versailles

Ainsi, les parallèles de division sont des parallèles horizontales fuyantes et leur point de fuite est un point quelconque sur la ligne d'horizon.

Sur le dessin 36, la construction a été faite par le report de deux grandeurs différentes. La distance Af a donné le point de fuite Fq1 et la distance A5 a donné le point de fuite Fq2, les divisions obtenues sur la fuyante AB, par ces deux points de fuite, correspondent exactement.

Ce tracé, comme tous les autres vus dans ce chapitre, est aussi valable audessous qu'au-dessus de l'horizon (photos page 65 et page 66).

Parc du château de Versailles

De la même façon, on peut reporter des distances inégales.

Palais de Versailles, soubassement Galerie des Glaces

Possibilité de faire une division en 3 ou un report de mesures égales.

TRACÉS DE PARALLÈLES

**On suppose deux parallèles mises en place.
Comment tracer une ou plusieurs
parallèles supplémentaires ?**

Tracé d'horizontales parallèles espacées à des distances égales

Supposons que nous ayons une série de fuyantes parallèles à tracer, espacées par des distances égales, deux parallèles sont déjà en place.

CONSTRUCTION

Tracer deux verticales éloignées l'une de l'autre, la première recoupe les parallèles en A et A1, l'autre en B et B1.

Reporter sur la première verticale la grandeur AA1 autant de fois que cela est nécessaire et la grandeur BB1 sur la seconde verticale. Joindre les points obtenus correspondants, les parallèles sont ainsi tracées en perspective.

Cette construction peut être prise en sens inverse, c'est-à-dire en partant des grandeurs AA4 et BB4 que l'on subdivise pour obtenir des points intermédiaires équidistants.

Les verticales étant des lignes frontales, il est possible de porter directement dessus les divisions que l'on désire. On tient compte seulement de la réduction due à l'éloignement qui fait porter des mesures plus petites sur la verticale éloignée que sur la verticale proche du spectateur.

LES MESURES SONT REPORTÉES SUR DEUX FRONTALES

Tracé de parallèles espacées à des distances quelconques par réduction proportionnelle

Supposons que nous ayons les horizontales parallèles xx' et yy' ; tracer d'autres lignes parallèles passant par les points A B et C, pris sur la verticale MM'.

CONSTRUCTION

Tracer une verticale NN' quelconque, éloignée de la verticale MM'. Placer une bande de papier contre la verticale MM' sur laquelle on relève les points : M, A, B, C et M'.

Partant du point N, tracer une oblique quelconque et sur cette oblique, reporter les points A, B, C et M' pris sur la bande de papier ; le point M doit correspondre au point N, ce qui donne les points A', B', C' et M'' sur l'oblique.

Joindre M'' à N' et tracer ensuite des parallèles géométriques à cette ligne, partant des points A', B' et C' ; leurs intersections avec la verticale NN' donnent les points de passage des parallèles fuyantes que l'on trace.

REMARQUES

Cette construction peut s'appliquer également au tracé des parallèles espacées à des distances égales. Cette réduction proportionnelle est l'application du théorème déjà utilisé page 64.

Ici le point N a été pris comme point de repère pour le tracé de l'oblique mais on peut aussi bien prendre le point d'une autre parallèle ; dans ce cas, l'oblique croise la verticale NN' mais le repérage se fait de même façon sur la verticale.

On peut constater qu'il n'est pas nécessaire d'avoir les parallèles situées sur le même plan vertical. Ceci est valable pour tous les tracés de parallèles fuyantes.

Le Louvre, colonnades

Tracé de parallèles par échelle fuyante

Ayant la ligne d'horizon et la fuyante xx', tracer une parallèle à cette fuyante passant par le point A.

CONSTRUCTION

Du point A tracer une verticale qui coupe la ligne d'horizon en B et la fuyante xx' en B'.

Des points A et B' mener deux droites fuyantes se joignant sur la ligne d'horizon à un point de fuite quelconque Fq. Par un point quelconque C, pris sur xx', éloigné du point B, tracer une verticale et, de ce même point C, mener une horizontale sur la ligne BFq ; on obtient le point N. De ce point on trace une verticale, elle donne le point N' sur la fuyante AFq. De ce point N', mener une horizontale qui recoupe la verticale C en C', point de passage de la parallèle cherchée que l'on peut tracer en joignant A à C'.

Cette construction est la même que celle employée pour la recherche de la ligne d'horizon (page 54, 2e cas). Le tracé est inversé (voir également page 56).

Palais de Versailles

Tracé de parallèles par triangles semblables

Considérons deux parallèles fuyantes xx' et yy' ; mener une troisième parallèle passant par le point A.

CONSTRUCTION

Tracer un triangle quelconque dont un sommet correspond au point A et les deux autres sommets B et C se placent respectivement sur les parallèles xx' et yy'.

Construire un deuxième triangle A' B' C', plus éloigné dont les côtés sont géométriquement parallèles, chacun à chacun, aux côtés du premier triangle et dont les angles B' et C' sont placés sur les parallèles xx' et yy'. Les côtés des deux triangles s'obtiennent facilement en traçant simultanément les côtés parallèles de l'un et de l'autre par glissement de l'équerre contre une règle plate. Le sommet A' marque le passage de la parallèle cherchée.

REMARQUES

Cette construction est valable quelle que soit la direction des parallèles : horizontales fuyantes ou verticales fuyantes.

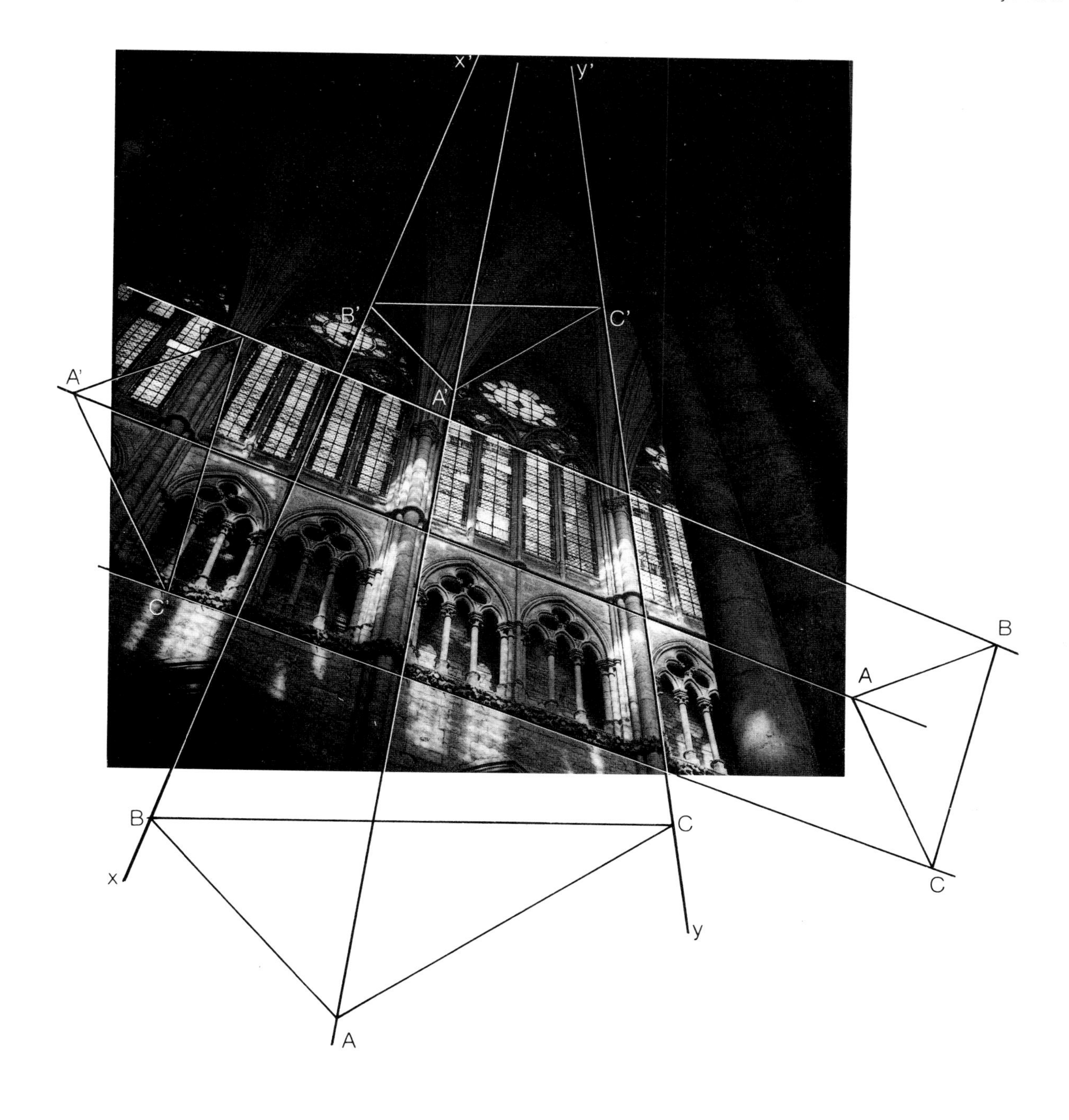

Les parallèles ne sont pas situées sur le même plan vertical ou horizontal, mais la construction reste parfaitement valable.

Eglise de Marienval

La Tour Montparnasse présente des parallèles situées sur un plan courbe, la construction par triangles semblables s'applique sans tenir compte de la courbe, c'est dire que les parallèles n'ont pas à être sur un même plan.

CONSTRUCTION

Considérons que deux parallèles sont en place, nous voulons en tracer une troisième passant par le point A.

— Tracer un triangle quelconque dont un sommet correspond au point A et les deux autres sommets correspondent respectivement l'un à la parallèle B, l'autre à la parallèle C.

— Tracer un deuxième triangle semblable dont les côtés sont parallèles à ceux du premier, les angles B et C correspondant naturellement aux parallèles, l'angle A' donne le passage de la parallèle cherchée.

— Le passage des autres parallèles a été contrôlé par le tracé des lignes D, E, F.

TRACÉS DE TOITURES

Un toit simple à double pente correspond en principe au plan de l'édifice, mais le plan carré des clochers permet une grande variété de volumes.

Toit à pignon

Toit à double pente présentant un triangle à chaque extrémité.

Supposons que les murs de la maison soient établis. Les diagonales du mur rectangulaire AB' et BA' donnent l'axe de la maison que l'on élève verticalement. Cet axe donne les points M sur A'B' et M' sommet du faîtage.

Du point M, tracer une fuyante parallèle à la ligne A'C ; son intersection avec la droite CE donne le point N d'où l'on élève une verticale. Tracer la fuyante du faîtage parallèle à A'C et compléter le tracé du toit par les lignes M'A', M'B' et N'C'.

Toit pyramidal simple

Supposons que le carré de base soit tracé (dessin 37). Par les diagonales, on obtient le centre O d'où l'on élève une verticale sur laquelle on indique la hauteur du toit. Tracer ensuite les arêtes joignant chaque angle.

La ligne d'axe peut également être obtenue en considérant un rectangle vertical dont les deux côtés verticaux correspondent aux arêtes opposées de l'édifice. Faire attention de bien prendre les points A et B d'une part et A' et B' d'autre part, situés respectivement à la même hauteur.

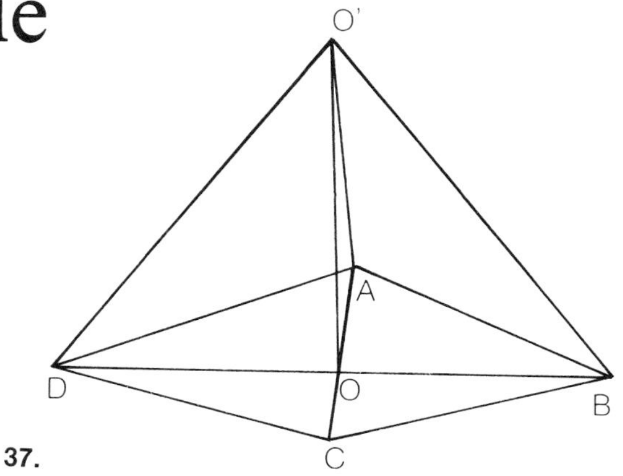

37.

Eglise Saint-Pierre de Montmartre

Toit pyramidal à double pente

Même construction mais on emploie deux sommets différents situés sur le même axe et pour chaque pente, on considère la pyramide complète. Les intersections des arêtes des deux pyramides donnent la hauteur des horizontales séparant les deux pentes.

H
H'

Toit à quatre pignons

L'opération faite pour le toit à pignon est répétée dans les deux sens. L'intersection M des deux lignes de faîtage, permet de tracer la droite AM, intersection de deux toits.

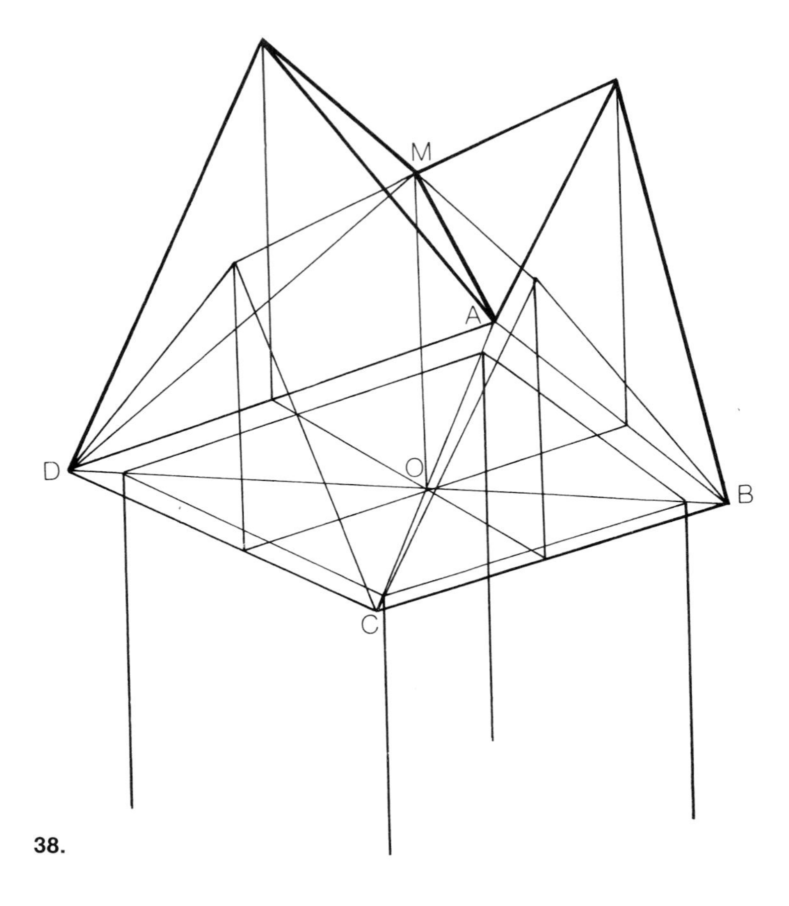

38.

Toit à quatre pignons et pyramide centrale

Tracer le toit à quatre pignons, élever l'axe vertical, donner la hauteur du sommet et tracer la pyramide. Les droites NM' et RM' donnent sur le faîtage des toits à pignons le point de leur intersection avec la pyramide et cela permet de tracer les droites AN' et AR'.

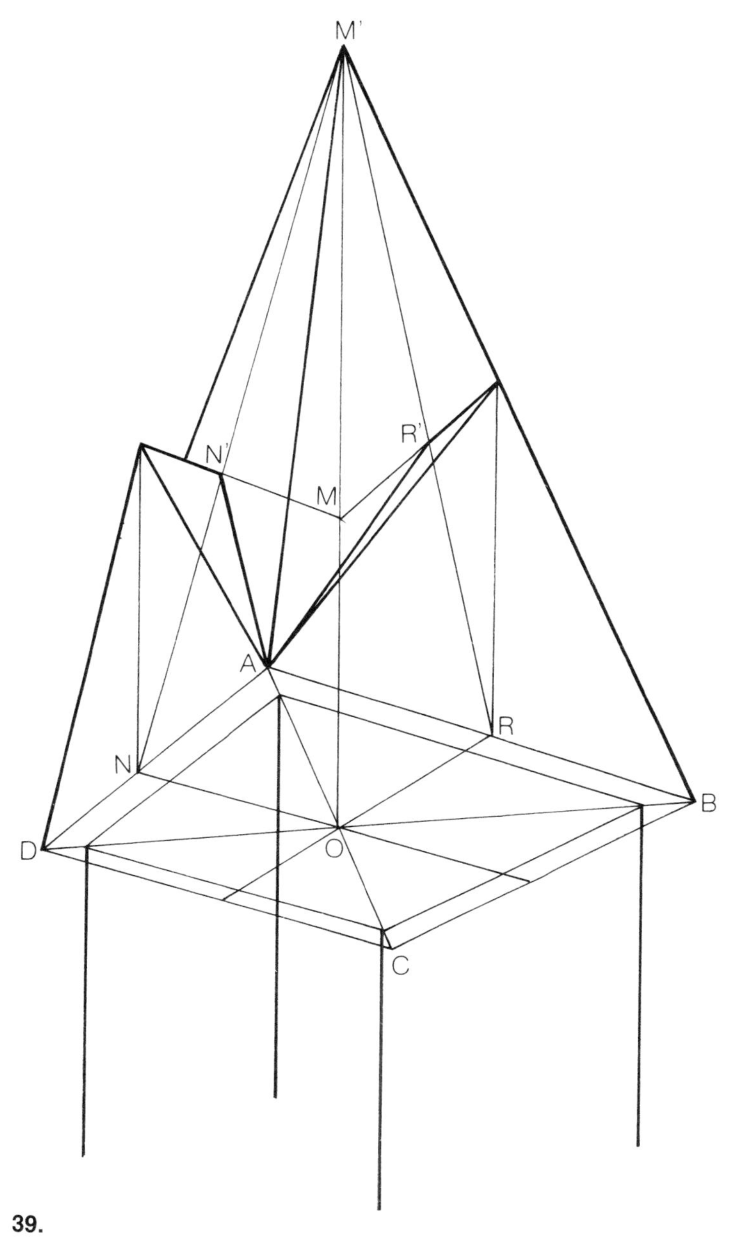

39.

Toit octogonal

Il est établi par le tracé du carré d'enveloppement. Tracer les diagonales du carré. Reporter la largeur d'un pan, celui se présentant le plus de face. Des 2 angles obtenus, tracer des fuyantes : leurs intersections avec les diagonales permettent de tracer les droites perpendiculaires donnant les angles cherchés sur le carré. On peut tracer les pans coupés.

Clos-Lucé, demeure de Léonard de Vinci

Toit de pavillon

Tracer le rectangle de base. Par les diagonales on obtient le passage du grand axe MM' que l'on trace parallèle aux grands côtés ; les droites NN' et RR' reportées symétriquement donnent à leur intersection avec le grand axe MM' la place des verticales limitant le faîtage du toit. Donner la hauteur voulue OO' et PP'. Tracer les lignes de pente joignant les points O'A, O'D, P'B, la ligne P'C n'est pas visible.

Musée de Cluny

ESCALIER

Le tracé d'un escalier se fait par trois séries de parallèles :
• les horizontales qui correspondent aux hauteurs des marches ;
• les verticales qui correspondent aux profondeurs des marches ;
• les obliques qui correspondent aux points d'intersection des horizontales et des verticales ; elles donnent la pente de l'escalier.

Principe du tracé

Ainsi quand le volume général de l'escalier est indiqué, on porte la hauteur de la marche inférieure et la largeur de la marche supérieure ce qui permet de tracer les deux obliques ; puis dessinant alternativement une horizontale, puis une verticale, on obtient l'escalier.

N'oublions pas que les horizontales fuyantes et les obliques situées sur un même plan vertical vont fuir à deux points placés sur la même verticale. Et quand l'escalier est en vue plongeante le point de fuite des verticales est également sur la même verticale MM' (tracés sur les photos).

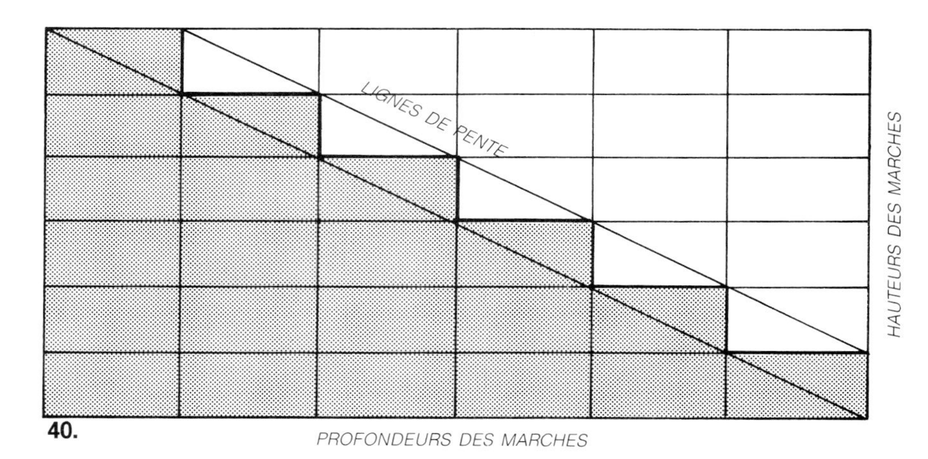

40.

Escalier vu montant

Tracer un escalier vu montant, ayant la hauteur de l'horizon HH' et les dimensions des marches.

CONSTRUCTION

Etablir la première marche et rechercher le point de fuite F des horizontales des marches, de ce point, élever une verticale MM'.

Elever une verticale AN sur l'angle avancé de la première marche sur laquelle on porte les hauteurs des marches suivantes ; elles sont égales.

Des points obtenus, mener les fuyantes horizontales au point F situé sur la ligne d'horizon, elles donnent les différentes hauteurs des marches.

Tracer l'oblique AC, elle donne un point de fuite aérien Fa sur MM', fuyant à ce point ; tracer l'autre oblique correspondant aux hauteurs des marches AB.

Tracer les verticales des marches en joignant les intersections des fuyantes horizontales (hauteurs des marches) avec les obliques. L'escalier est ainsi dessiné.

Escalier vu descendant

Tracer un escalier descendant en vue plongeante.

CONSTRUCTION :
Le principe est toujours le même, mais la ligne d'horizon est élevée et les obliques deviennent fuyantes vers le bas.

Les points de fuite des horizontales et des obliques se trouvent également sur la même verticale.

Si, placé en haut d'un escalier, on désire en voir en partie les différentes marches et conserver un angle de vue normal, on doit regarder cet escalier en vue plongeante, la direction du regard est inclinée vers le bas. Les verticales deviennent des parallèles fuyantes.

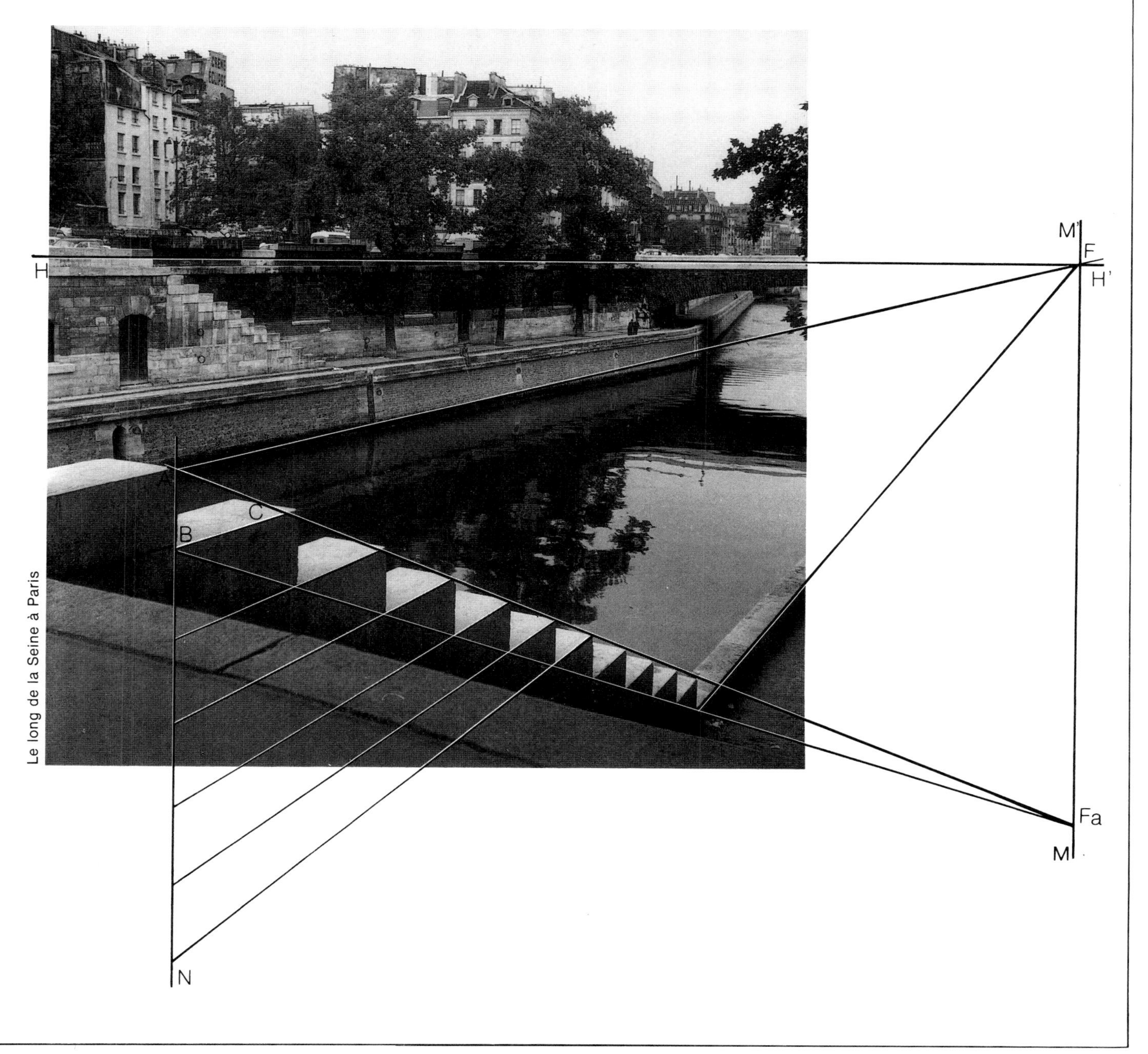

Le long de la Seine à Paris

Plans inclinés

Le funiculaire de Montmartre à Paris fait comprendre la différence entre le plan horizontal et le plan incliné. Les rails sont nettement inclinés mais les cabines sont horizontales.

Dans la vue de dessus, les horizontales de la cabine comme celles des maisons avoisinantes fuient à la ligne d'horizon, ligne donnée par le lointain, tandis que les fuyantes des rails, plan incliné, fuient à un point de fuite terrestre, les deux points de fuite se placent sur la même verticale. En effet, toutes ces fuyantes s'inscrivent sur des plans verticaux parallèles.

Dans la seconde vue prise de la gare inférieure, les horizontales fuient en un point situé sur la ligne d'horizon, qui est fictive, placée à la hauteur de l'œil ou plutôt de l'objectif. Par contre les lignes montantes des rails fuient à un point de fuite aérien.

Les deux points de fuite se placent naturellement sur la même verticale, appartenant à des plans verticaux parallèles.

Chaque cabine comporte une partie triangulaire qui correspond à l'angle formé entre les horizontales et les lignes de pente.

Personnages sur un plan incliné

Il est difficile de trouver des exemples de rues inclinées, sans voitures venant masquer les bordures de trottoirs qui donnent les lignes montantes ou descendantes et bordées de maisons dont les lignes horizontales des étages permettent de retrouver la ligne d'horizon.

Les vues que nous proposons, prises devant le Palais de Chaillot à Paris répondent en partie à ce que nous souhaitons. Elles permettent de concrétiser les principes des différentes visions possibles.

Si dans un sens, une rue est vue montante, dans l'autre sens, on la voit évidemment descendante. Mais dans chaque sens, on peut réaliser le dessin de deux façons différentes :

1. en maintenant le regard horizontal,
2. en élevant le regard ou en l'abaissant.

Les résultats schématisés par le dessin 41, font comprendre cette différence. Les deux photos de la page suivante, représentant une rue peu inclinée, atténuent cette différence.

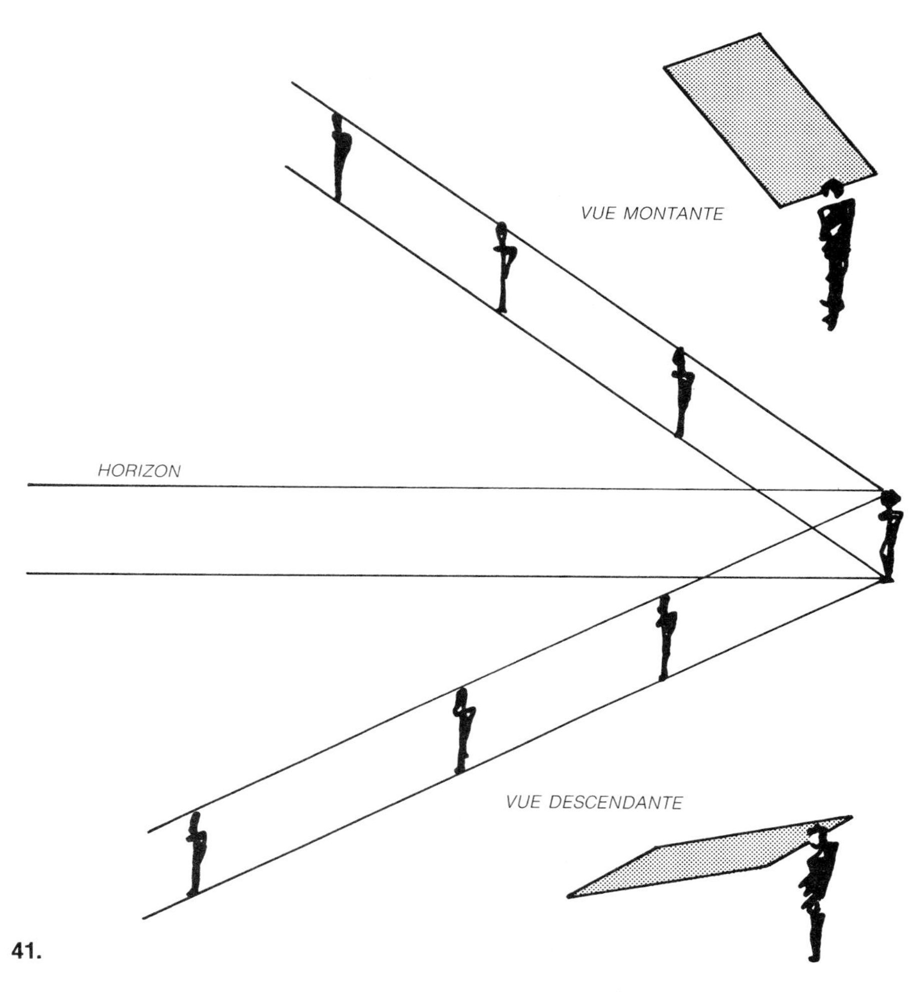

41.

Deux façons différentes de regarder un ensemble montant ou descendant. Le regard peut être dirigé horizontalement (1) ou suivant la pente de l'ensemble montant ou descendant (2 et 2').

RUE MONTANTE

Vue horizontale

— La ligne d'horizon est à sa place normale, au milieu de la hauteur de la photo, elle correspond au plan de vision horizontal.
— Les lignes inclinées fuyantes des trottoirs ont un point de fuite aérien au-dessus de la ligne d'horizon.
— Les droites fuyantes qui correspondraient à la hauteur des personnages auraient leur point de fuite sur la ligne de fuite du plan incliné.
— Les verticales restent verticales.

Vue plafonnante ou contreplongée

— Le spectateur lève la tête pour voir l'ensemble.
— La ligne d'horizon est placée très basse.
— Le plan de vision correspond au plan incliné de la rue.
— Les verticales du Palais étant éloignées ne subissent pas de déformation sensible. Si nous avions des maisons de chaque côté de cette rue, les verticales rapprochées deviendraient des fuyantes vers le haut.

RUE DESCENDANTE

Vue horizontale

— La ligne d'horizon correspond au plan de vision qui est ici horizontal. Elle se situe au milieu de la hauteur du document. Dans cette photo nous n'avons pas de lignes horizontales permettant de retrouver d'une façon précise la ligne d'horizon, en plaçant celle-ci au milieu de la hauteur, le risque d'erreur est minime.
— Les lignes fuyantes de la rue qui descend ont leur point de fuite au-dessous de la ligne d'horizon.
— Les personnages peuvent s'inscrire dans une échelle des hauteurs ayant son point de fuite sur la ligne de fuite du plan incliné.
— Les verticales sont absentes de cette vue, sachons qu'elles resteraient des verticales, ne subissant que les réductions de hauteurs dues à leur éloignement.

Vue plongeante

— Le spectateur baisse la tête pour voir l'ensemble.
— La ligne d'horizon est élevée.
— Les lignes fuyantes de la rue donnent la place de la ligne de fuite du plan de vision qui se situe au-dessous de l'horizon.
— Une échelle des hauteurs, ayant son point de fuite sur la ligne de fuite du plan incliné, permettrait de retrouver la hauteur des personnages aux différents éloignements. (Voir échelle des hauteurs page 73).
— Si nous avions des verticales, elles se présenteraient fuyantes vers le bas.

OMBRES

**D'une source lumineuse artificielle ou naturelle,
partent dans tous les sens des rayons lumineux,
leur interception par un corps opaque provoque
une *ombre propre* sur ce corps et
une *ombre portée* sur la surface cachée
de la lumière par ce corps.**

On observe que :

Chaque rayon lumineux est une ligne droite le plus souvent oblique.

L'ombre portée est plus sombre que l'ombre propre, cette dernière se trouve presque toujours atténuée par les reflets des surfaces éclairées environnantes (photo page 98).

Toute surface recevant de la lumière provoque une ombre, les rayons lumineux tangents aux limites de la surface déterminent la limite de l'ombre propre sur l'objet et le dessin de l'ombre portée (photo page 98).

L'ombre portée prend la silhouette de l'objet mais celle-ci est modifiée par différents reliefs de la surface qui la reçoit. Exemple : la déformation de l'ombre sur la saillie de la pelouse (photo page 98).

Cathédrale de Beauvais

Les rayons lumineux se développent en lignes droites divergentes. Les feuillages laissant passer ces rayons ne donnent pas des contours nettement définis.

Cependant, on constate qu'ils sont rayonnants, partant d'un même «point» large : le soleil.

La photo étant prise le soir alors que le soleil est déjà bas, la source lumineuse se trouve accessible.

La hauteur du soleil est très importante : le matin ou le soir, le soleil est bas et les ombres sont très allongées. A midi, le soleil est très haut, les ombres portées sont très courtes. On en tiendra compte si l'on désire donner un effet de plein soleil.

Le corps du vase étant légèrement plus évasé en haut qu'en bas, la ligne d'ombre portée de sa partie supérieure n'est pas une ligne horizontale mais une courbe qui descend nettement à gauche. Elle rejoint l'ombre propre, presque verticale, du corps du vase.

En revanche, l'ombre portée de la partie saillante du socle (qui est rectiligne) suit une ligne droite.

Vaux-le-Vicomte

Cette photo entraîne plusieurs observations :

Les rayons lumineux découpent la silhouette des maisons qui se retrouve sur le sol.

Les ombres portées sont plus sombres que les ombres propres, on distingue les murs des maisons, faiblement par suite de l'absence de reflets.

Les ombres portées sur le sol sont peu étendues, c'est-à-dire que le soleil est élevé. On doit en déduire que si l'on veut rendre un effet de plein soleil, les ombres portées doivent être réduites au maximum, leurs intensités très fortes heurtées avec des surfaces très lumineuses.

Thiezac (Cantal)

Tracé de l'ombre

PRINCIPE

Quelle que soit sa position, un rayon lumineux peut toujours s'inscrire dans un plan vertical.

Supposons un point A appartenant à un objet dont la forme est quelconque. Par ce point passe un rayon lumineux tangent à l'objet.

Pour obtenir l'ombre portée il faut tracer :

— le rayon lumineux partant de S, source lumineuse, passant par le point A, et le poursuivre jusqu'au sol ;

— la verticale abaissée de S sur le sol, en S', pied de la source lumineuse ;

— la verticale abaissée de A sur le sol, en A' ;

— la droite partant de S' passant par A' projection au sol du rayon lumineux ; son intersection avec le rayon lumineux donne l'ombre du point A en a et l'ombre portée de la verticale AA' en A'a.

Ainsi, l'ombre de la verticale AA' est donnée par le tracé d'un triangle rectangle vertical dont l'hypoténuse est le rayon lumineux ; la hauteur est la verticale correspondant à la source lumineuse ; la base est la projection au sol du rayon lumineux et d'un triangle rectangle correspondant à l'ombre dont l'hypoténuse et la base sont communes au premier triangle, le troisième côté étant la verticale qui intercepte la lumière.

Lorsque la source lumineuse est trop éloignée, la verticale qui lui correspond ne peut pas être tracée.

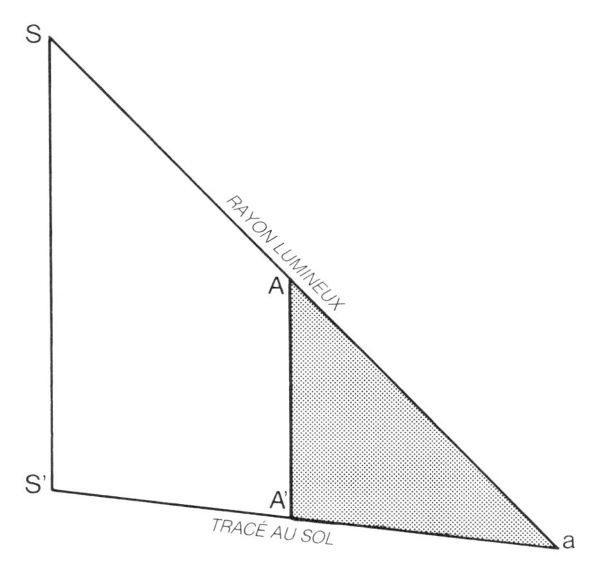

42. *PRINCIPE DU TRACÉ DE L'OMBRE*

Ombre d'un cube

Le tracé des ombres revient à établir, comme nous venons de l'étudier, une succession de triangles d'ombre dont les rayons lumineux ou hypoténuses, passent par les points limites de la surface éclairée.

Que la source lumineuse soit naturelle ou artificielle :

— une horizontale donne sur un plan horizontal une ombre portée horizontale dont le point de fuite est le même que celui de l'horizontale qui la provoque. L'horizontale AB donne l'ombre horizontale ab dont le point de fuite est F sur la ligne d'horizon ;

— une verticale provoque sur un plan horizontal une ombre portée horizontale. La verticale AA' donne l'ombre horizontale Aa dont l'origine est le pied de la verticale abaissée de la source lumineuse ;

— une droite fuyante quelconque : horizontale, oblique ou verticale fuyante, donne sur un plan qui lui est parallèle une ombre dont le point de fuite est le même que celui de la droite qui la provoque ;

— une droite frontale horizontale, oblique ou verticale donne sur un plan qui lui est parallèle une ombre qui est une droite frontale, les images des deux droites sont donc des parallèles géométriques.

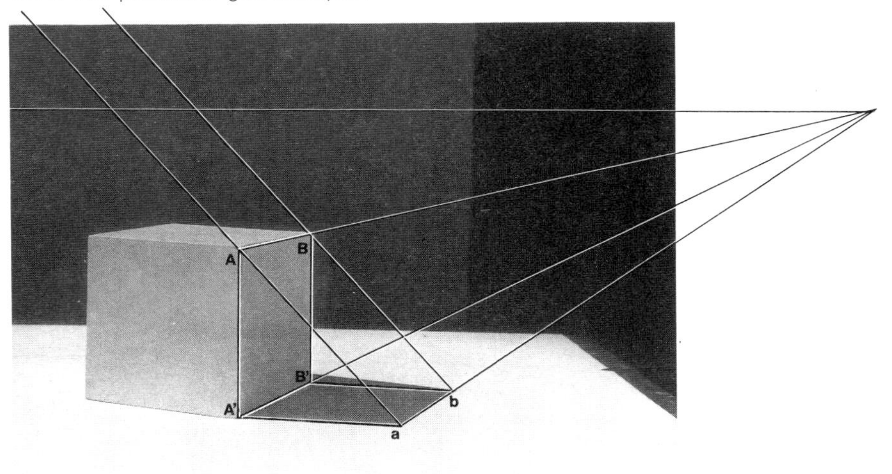

Ombre au flambeau

Le terme «flambeau» s'applique en perspective à toute source lumineuse artificielle.

De la *source lumineuse peu éloignée* partent des *rayons lumineux divergents.* Les ombres portées sur le plan horizontal, sont également divergentes. Leur tracé part du pied de la verticale abaissée de la source lumineuse. Ce point S' ne se situe jamais sur la ligne d'horizon.

Ce dessin présente quelques personnages éclairés par une lumière artificielle ; si l'on trace les rayons lumineux passant par la tête de chaque personnage, leur rencontre avec le sol donne la direction et la longueur de chaque ombre portée. Les points d'intersection avec le sol sont déterminés par les horizontales qui partent de la base de la verticale abaissée de la source lumineuse et passent par les pieds de chaque personnage.

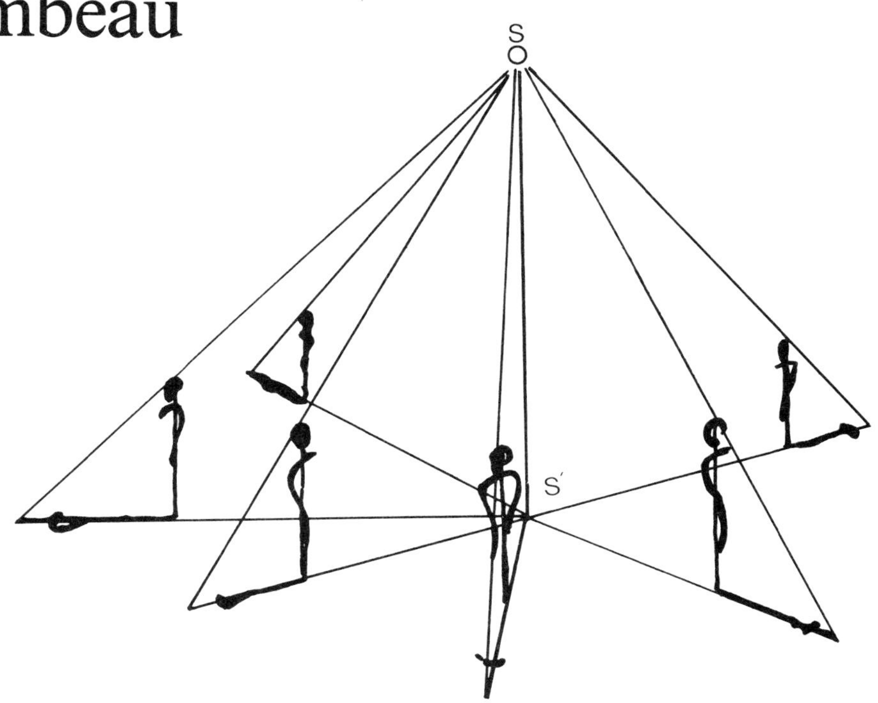

Ombre au soleil

Le soleil est si éloigné qu'il est considéré à l'infini ; le principe de tracé des ombres est le même que pour l'ombre au flambeau, mais la source lumineuse est presque toujours inaccessible. *Les rayons lumineux sont des parallèles* et les ombres portées, données par des verticales sur un plan horizontal, sont des horizontales parallèles. En conséquence, les rayons lumineux obéissent aux déformations perspectives des parallèles obliques, et les ombres portées aux déformations des horizontales parallèles fuyantes ; leur point de fuite est toujours sur la ligne d'horizon.

Une exception est faite quand le soleil se situe dans le plan du tableau, c'est-à-dire franchement à droite ou à gauche du spectateur ; dans ce cas, les rayons lumineux, comme les ombres portées, restent des parallèles de front et ne subissent pas de déformations.

La verticale abaissée de la source lumineuse ne peut que rarement être tracée.

L'auteur, Annie Raynaud et son frère, enfants de Georges Raynaud (1948).

Règle

Ombre au flambeau - source lumineuse peu éloignée : rayons lumineux et ombres divergents.

Ombre au soleil - source lumineuse très éloignée : rayons lumineux et ombres parallèles qui obéissent naturellement aux lois de la perspective des parallèles.

Ombre d'une architecture

Ce document ne présente pas un objet mais une architecture, et nous sommes placés à l'intérieur de la galerie.

Le découpage des ombres et des lumières est donné par les rayons lumineux tangents aux contours de l'architecture.

Mais attention, certains rayons lumineux correspondent au contour intérieur, par exemple le muret portant les colonnes, par contre l'ombre du haut des arcades est donnée par le contour extérieur de celles-ci. L'ombre des verticales est donnée, suivant l'orientation du soleil, tantôt par le contour intérieur, tantôt par le contour extérieur.

On remarque que le point de fuite des ombres ou plutôt des lumières données par les ouvertures, est le même que celui de l'architecture qui la provoque, (ombre du muret, ombre des arcades), la ligne provoquant l'ombre n'est pas visible étant située à l'extérieur de cette galerie.

Si l'on veut le tracé précis, il faut construire la façade extérieure bien qu'on ne la voit pas.

L'ombre d'une arcade en plein cintre sur la partie verticale du pilier pose un problème.

Le soleil a sa position très élevée, l'ombre est provoquée par la courbe extérieure de l'arcade, courbe que l'on ne voit qu'en partie. Cette ombre est portée sur la partie verticale du pilier, sa limite forme une courbe très tendue.

Ombre sur différents corps

Une ombre propre prend un aspect différent suivant la surface qui la porte, en effet :
— sur une surface mate : étoffe, terre cuite, papier, le passage de l'ombre à la lumière se fait progressivement ;
— sur une surface brillante : verre, cristal, céramique, le passage de l'ombre à la lumière est heurté, les reflets, qu'il faut observer avec soin, modifient l'ombre. Ainsi, on remarque que les surfaces courbes du verre déforment par transparence le bec verseur de la céramique, et un reflet donne une ligne verticale foncée à droite du vase.

L'observation peut seule faire comprendre les effets de lumière et d'ombre.

Photo Michel Adnot

Fontaine des Innocents à Paris

Nous attirons l'attention sur l'ombre des vasques et des arcades, ainsi que sur les piliers de la fontaine.

REFLETS

**Un reflet se fait symétriquement
suivant une perpendiculaire à un plan-miroir,
celui-ci étant toujours vu fuyant.
Le reflet obéit aux mêmes règles de perspective
que le sujet qui le provoque, c'est-à-dire que
les points de fuite sont communs.**

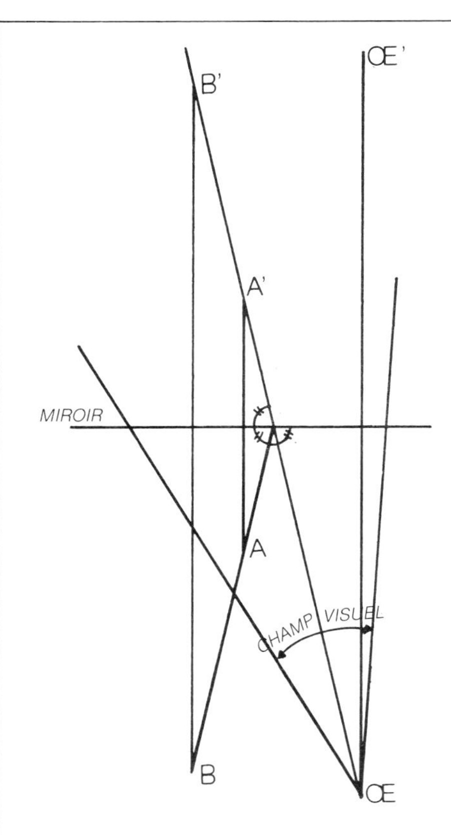

43. *PRINCIPE DES REFLETS (vue de dessus).*

Le spectateur, placé en ŒE, voit le point A et son reflet A' dans le miroir ; ainsi que le reflet du point B, soit B', alors que ce point B est hors du champ visuel.

Traçons le rayon visuel et son reflet : on constate que l'angle d'incidence du rayon visuel est égal à l'angle de réflexion.

Les points A et B sont vus par le spectateur dans le miroir à des distances égales à celles qui les séparent du miroir.

Un point peut ne pas être vu par le spectateur, alors que son reflet est visible par celui-ci. Exemple : le point B.

Le spectateur ŒE a son reflet visible dans le miroir. Les perpendiculaires au miroir étant des parallèles, ces lignes fuient toutes au même point, ce point est ici marqué par le reflet de l'œil.

Château de Sully-sur-Loire

Reflet sur un plan horizontal

CONSTRUCTION
Tracer une verticale partant du point A, elle recoupe le miroir en M.

Du point d'intersection M, reporter au compas la distance AM en MA'.

Répéter l'opération pour chaque point, le reflet est ainsi obtenu.

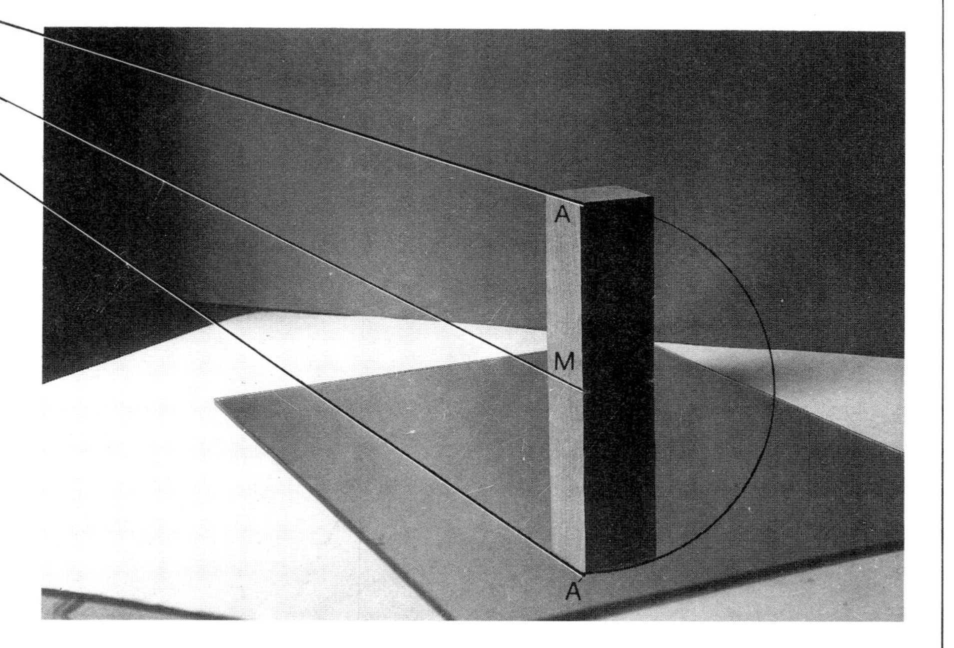

Cette photo prise à Strasbourg montre que lorsque l'eau est bien calme, le reflet est aussi net que le sujet. Il obéit aux mêmes lois de la perspective.

Pavillon Français de Versailles

Quand le point réfléchi est éloigné du plan de réflexion, ici l'eau, ce plan doit être prolongé jusqu'à la verticale abaissée du point pour obtenir l'axe de symétrie et porter la hauteur du reflet dont on ne voit qu'une partie dans le miroir.

Règle

Les reflets d'objet ou d'architecture se font perpendiculairement à la surface réfléchissante : miroir ou eau, les formes se reproduisent symétriquement.

L'axe de symétrie n'est pas une ligne droite mais un plan toujours vu fuyant ou de front : la surface de ce plan doit être visible pour apercevoir l'image qu'elle porte.

Les points de fuite du reflet d'un objet sont les mêmes que ceux de l'objet.

Pont de Villeneuve-sur-Yonne

Un reflet se fait symétriquement suivant un plan-miroir toujours vu fuyant.

Le reflet d'une fuyante horizontale, dans un plan miroir horizontal a le même point de fuite que l'horizontale qui le provoque.

Le reflet se trouve à la même distance de la surface miroir que la fuyante horizontale.

Reflet sur un plan vertical de front

CONSTRUCTION

Tracer les perpendiculaires au miroir partant des extrémités de la verticale. Ces lignes sont des fuyantes de bout, elles joignent le point principal qui marque le centre du regard.

Tracer une verticale correspondant à l'intersection des fuyantes et du miroir MM'.

Diviser cette verticale en deux parties égales, on obtient le point N.

Mener une diagonale partant du haut de la verticale, point A, et passant par le point N. Son intersection avec l'autre fuyante donne la place du reflet. (Application des principes page 60).

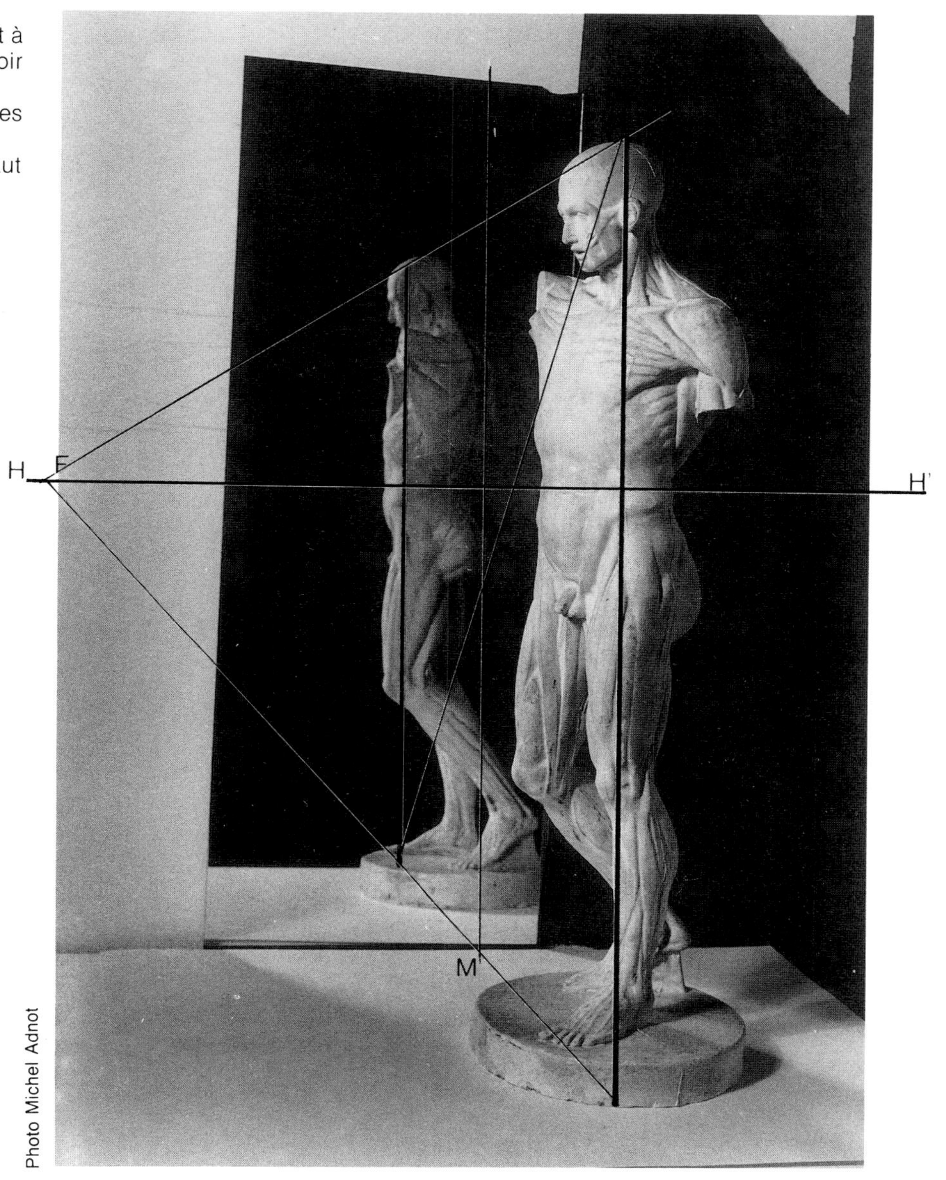

Photo Michel Adnot

Différents pots sont disposés devant un miroir. Nous constatons qu'ils sont réfléchis à l'inverse, mais que les lois de la perspective sont parfaitement respectées, c'est-à-dire que les formes sont réduites du fait de leur éloignement.

Photo Michel Adnot

Photo Michel Adnot

Reflet sur un plan vertical perpendiculaire au tableau

Les lignes de reflets sont horizontales et la distance d'éloignement du reflet de la verticale A est égale à la distance qui sépare la verticale du miroir AM = A'M. Comme la ligne AA' est une frontale, la mesure se porte directement.

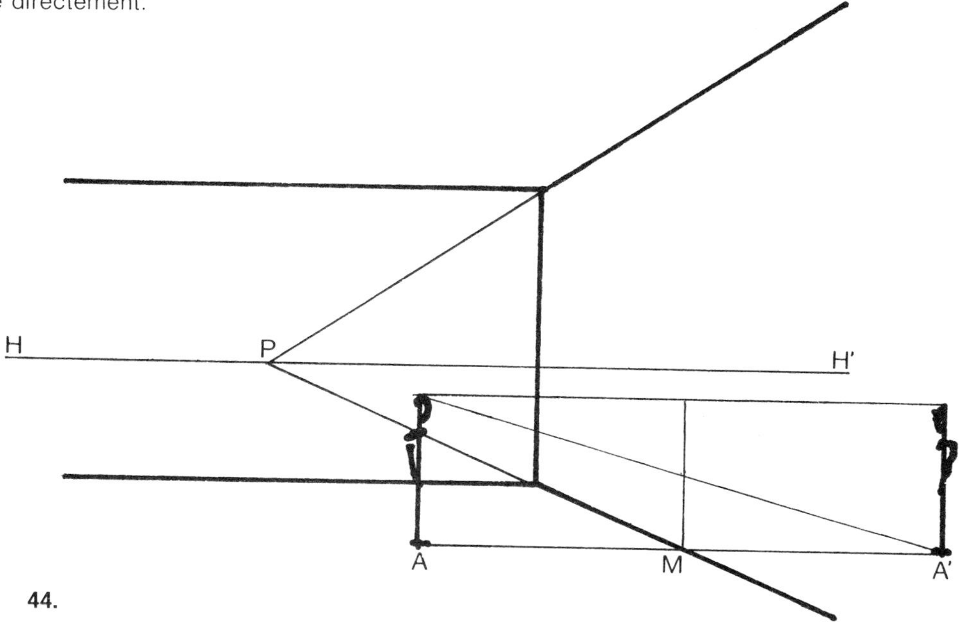

44.

Reflet sur un plan vertical fuyant

Les lignes de reflets sont perpendiculaires au miroir donc fuyantes en sens inverse de celles du miroir. La distance d'éloignement du personnage est donnée par la diagonale passant par le milieu de la verticale élevée de M.

45.

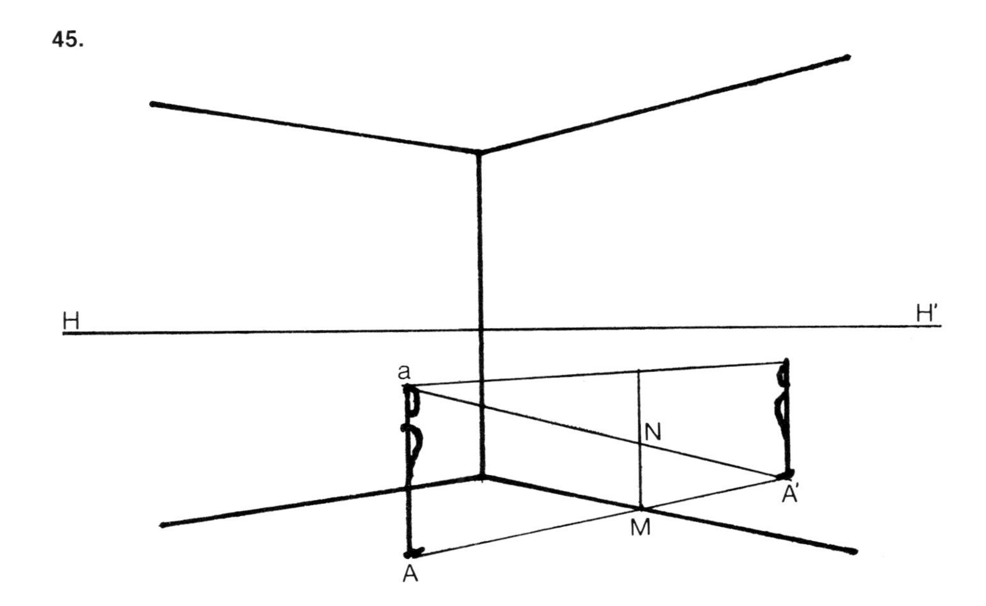

Reflet d'une ligne oblique

Supposons un bâton incliné se reflétant dans l'eau.

Tracer la verticale abaissée du point supérieur A et la prolonger dans l'eau.

Reporter la mesure du point A à la surface de l'eau pour obtenir le point A'.

Joindre A' au point de pénétration du bâton dans l'eau. L'image du reflet est ainsi obtenue.

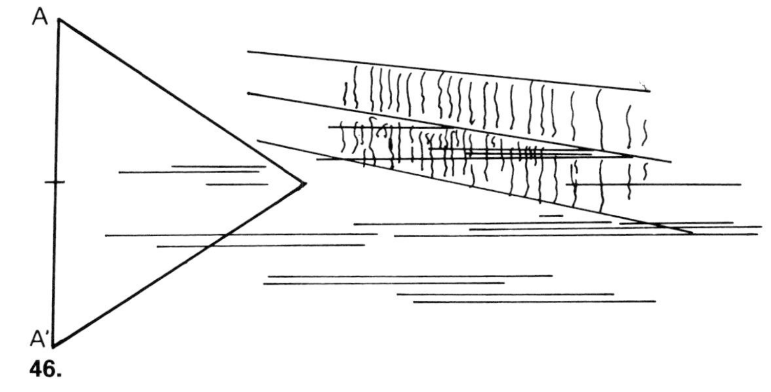

46.

QUELQUES CONSEILS POUR INDIQUER UN PLAN MIROIR SUR UN DESSIN

LA FENÊTRE = SURFACE VERTICALE.

De jour, si nous regardons un immeuble nous constatons que les fenêtres donnent des surfaces sombres.

Ces valeurs sombres peuvent être indiquées sur un projet d'architecture par des hachures verticales, plus ou moins espacées. Quelques hachures obliques pourront marquer un reflet.

Il n'est pas utile de couvrir toute la surface de hachures.

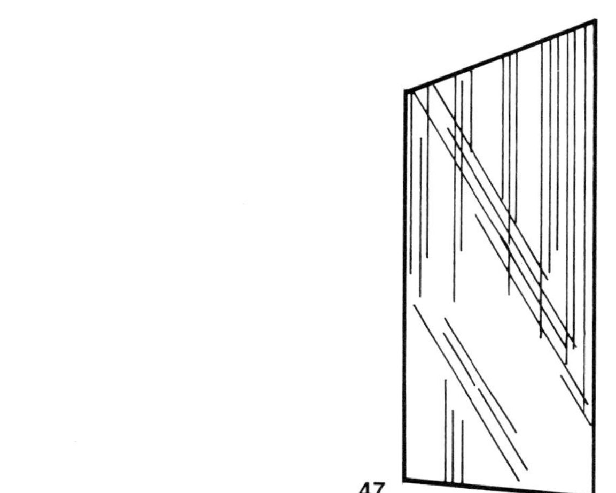
47.

L'EAU = SURFACE HORIZONTALE.

Une surface horizontale faisant miroir sera indiquée par l'opposition de deux séries de hachures : horizontales et verticales.

Le plan horizontal —eau— est indiqué naturellement par les hachures horizontales, tandis que les reflets sont marqués par les hachures verticales.

Suivant l'effet recherché les hachures seront plus ou moins espacées, on pourra même les interrompre laissant libres de grandes surfaces.

48.
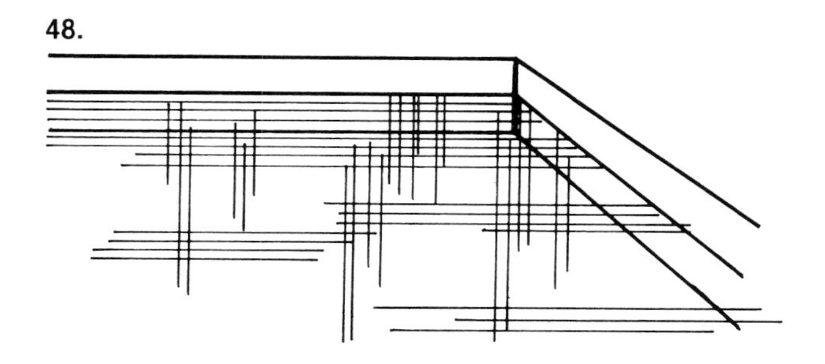

Si les espaces entre les lignes sont égaux, on évitera de mettre une égalité entre les hachures horizontales et les hachures verticales, les unes doivent dominer les autres.

Le peintre ne travaille pas par hachures, cependant il peut tenir compte des principes exposés qui correspondent à la réalité. A chacun de travailler avec sa personnalité.

Règle

Quand le reflet est donné par un plan horizontal, on doit toujours considérer des verticales, réelles ou fictives.

Reflet d'une lumière la nuit

Nous avons vu que le reflet se fait suivant une perpendiculaire au plan miroir, à égale distance du point lumineux à ce plan. Ici, nous observons que les lumières se reflétant dans l'eau ne donnent pas un point symétrique mais une large traînée lumineuse. Pourquoi ?

L'eau ne présente pas une surface plane, unie, mais de nombreuses petites vagues. La courbe de ces vagues donne de multiples plans de réflexion qui chacun renvoit la lumière.

La Conciergerie

Valeurs

Les valeurs, comme le dessin, subissent les lois de la perspective.

La valeur est le rapport qui existe entre le clair et le foncé des différents plans, abstraction faite de leur coloration.

Ce qui est proche du spectateur lui apparaît avec des ombres et des lumières, des valeurs plus fortes que ce qui est éloigné, les lointains devenant de plus en plus gris.

Au premier plan, valeurs fortes : ombres et lumières vigoureuses.
Au second plan, valeurs faibles : gris.

CONSEILS POUR LE DESSIN D'OBSERVATION

**La perspective intéresse le peintre quand il réalise un tableau, également le décorateur et l'architecte à qui elle permet de représenter un ensemble vu dans l'espace avant qu'il ne soit réalisé.
Nous examinons dans ce chapitre deux aspects de la perspective :**

- **le dessin à vue : nature morte et paysage ;**
- **le dessin de création : d'un objet, d'un meuble, d'un intérieur, d'une architecture extérieure.**

Dessin à vue

NATURE MORTE

Nous ne donnons pas de recettes pour composer et exécuter un tableau ou un ensemble architectural, extérieur ou intérieur, nous voulons simplement suggérer des idées.

Disposer quelques objets, ou fruits... 3 ou 4 suffisent. On peut les choisir suivant un thème — la lecture : livre, lampe, papier... ; la cuisine : casseroles, plats, bouteilles... ; le jardin : brouette, pelle, râteau, sabot... ; la musique : instruments (le choix est grand), partitions de musique, métronome... ; autrefois : bassine en cuivre, lampe à pétrole, moulin à café... ; etc. —

CE QUI EST À ÉVITER

S'il est bon de rechercher un équilibre dans une composition, on doit éviter :
— la coupure d'un tableau en deux parties égales, soit verticalement, soit horizontalement en plaçant par exemple la ligne d'horizon au milieu de la hauteur ;
— de choisir des objets de même volume ;
— d'avoir des mesures égales ;
— d'avoir des valeurs égales sans dominante.

Mais, il est possible d'avoir une composition intéressante en jouant avec les égalités. La composition doit exprimer une volonté.

COMMENT DISPOSER LES OBJETS ?

Il n'y a aucune règle fixe et les dispositions que nous donnons ne sont que des exemples qui doivent conduire à d'autres recherches différentes voire même opposées.

Les exemples donnés ont pour but d'aider le débutant, de lui éviter des erreurs, de mettre en marche son imagination.

Enfermer l'ensemble dans une figure géométrique simple donne une unité, un équilibre à la composition et évite bien des erreurs. Il est évident que cette figure géométrique doit être discrète, elle doit se sentir sans être tracée. On la retrouve dans bien des tableaux de Maîtres, comme on remarque bien des éléments placés selon les diagonales du tableau.

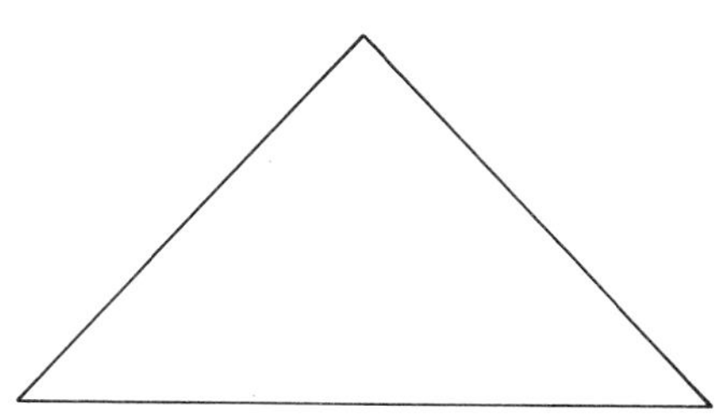

On a intérêt à réaliser une composition franche : par exemple en multipliant les verticales comme le montre la photo de vases en hauteur (page 125), un miroir double le nombre des verticales par le reflet.

Dans un tableau, il est bon qu'un objet domine, qu'il soit mis en valeur afin de constituer le centre d'intérêt : il comportera la plus forte lumière qu'une ombre proche renforcera par contraste.

Disposons des objets simples.

1. Composition en triangle, le sommet étant dans l'axe. Les objets disposés à droite et à gauche s'équilibrent bien qu'étant différents. Eviter la symétrie absolue.

On peut reprocher à cette composition, telle qu'elle se présente le vide central. Le peintre saura, au contraire de la photo, donner l'éclat à la céramique et au verre et faire porter tout l'intérêt sur ces objets.

Photo Michel Adnot

2. Composition en triangle, son sommet étant déporté à gauche.

Le peintre peut ne représenter que les objets et arrêter sa composition au niveau de l'horizontale de la table, ou représenter complètement le torchon dont la ligne inférieure équilibre la partie supérieure.

CONDUITE D'UN DESSIN À VUE

Un dessin doit être mené avec méthode.

— Observer le modèle : voir (sans prendre de mesures) s'il est en hauteur ou en largeur. Voir le volume, la ligne, qui domine. Quelle est la plus forte lumière, la plus forte ombre ?

Bref, voir ce qui caractérise le modèle.

— Prendre les grandes mesures : comparer la hauteur totale avec la largeur et placer le dessin le plus grand possible dans la feuille.

— Esquisser le dessin sans prendre d'autres mesures, afin d'exprimer plus librement les premières observations. Un dessin doit être sensible et personnel, ce n'est pas une construction mathématique.

— Contrôler ensuite les différentes mesures, les unes par rapport aux autres, les aplombs, les directions des lignes, etc... et corriger le dessin.

— Poursuivre le travail en regardant deux fois plus le modèle que son dessin.

— Mener le dessin d'ensemble, c'est-à-dire ne pas terminer un endroit sans que tout soit ébauché. Il n'est pas possible de mettre une valeur juste si sa voisine n'est pas placée au moins dans un ton approchant ; on ne peut mettre une couleur juste, si par exemple, on a encore à côté le blanc du papier au lieu d'un bleu ou d'un noir. De même, une ligne, une forme doit s'équilibrer avec sa voisine.

— Eviter d'effacer ; souvent les traits hésitants mis avant d'arriver à l'indication juste du dessin, donnent de la vie à celui-ci.

— Tracer le bon trait avant d'effacer le mauvais afin de ne pas retomber dans la même erreur ou dans le défaut inverse.

Avant d'effacer un trait, voir si celui-ci ne disparaît pas dans l'indication d'une ombre.

— Penser qu'un dessin doit, à la fois, être toujours terminé et que l'on doit toujours avoir à travailler dessus.

COMMENT PRENDRE LES MESURES ?

Les mesures se prennent avec le crayon ou un grand pinceau, en étendant bien le bras, ainsi on prend des mesures de comparaison, par exemple : la largeur totale est comprise 1 fois 1/2 dans la hauteur totale ; tel objet est deux fois plus petit que tel autre ; la hauteur de la tête de cette statue est comprise 7 fois 1/2 dans la hauteur totale, etc...

Sur le dessin, on reporte le rapport trouvé, sans tenir compte que, sur le crayon, on ait obtenu 2, 5 ou 15 cm de longueur.

CADRAGE ET AXES

Pour débuter un dessin, nature morte par exemple, il est recommandé de tracer la figure géométrique simple dans laquelle l'ensemble s'inscrit, mais il n'est pas nécessaire de tracer systématiquement un rectangle enfermant le dessin, sauf si cette figure correspond à la forme du sujet.

On tracera l'axe vertical, ou horizontal, de l'ensemble du sujet seulement si celui-ci est symétrique. Il est indispensable de tracer tout axe correspondant à des formes symétriques : bouteilles, vases, verres, en particulier ceux des cercles et des formes coniques.

Photo Michel Adnot

CONTRÔLE DES DROITES ET DES COURBES

Contrôler la direction des lignes. Pour cela prendre le crayon, le tenir à bout de bras et, fermant un œil, le faire correspondre à la ligne à contrôler. En ouvrant les deux yeux, on voit immédiatement le sens d'inclinaison du crayon, donc de la ligne à tracer.

Ce contrôle est indispensable pour les fuyantes qui se trouvent proches de la hauteur de l'œil.

De même façon, on contrôlera le sens de la courbe d'un cercle, en faisant correspondre le crayon au grand axe de l'ellipse.

La hauteur de l'horizon doit être repérée dès le début du dessin et la ligne d'horizon indiquée si elle se trouve dans la feuille ; c'est un guide précieux pour le tracé des horizontales et des cercles horizontaux.

CERCLE

Quelle que soit la position d'un cercle, il prend la forme d'une ellipse (sauf s'il est vu de front, dans ce cas il ne subit pas de déformations). Pour tracer un cercle correct en perspective, on doit le dessiner complètement et indiquer le grand et le petit axe de l'ellipse.

FORME CONIQUE OU TRONCONIQUE

Une forme conique est un solide de révolution dont les génératrices, lignes du contour apparent, viennent toujours se joindre sur l'axe. Aussi, cet axe doit être indiqué rapidement et prolongé si possible jusqu'au sommet pour recevoir les génératrices.

Photo Michel Adnot

Photo Michel Adnot

La ligne d'horizon est placée au-dessus de ces vases, ce qui permet de tracer les ellipses même des parties supérieures.

On doit éviter de faire correspondre la hauteur des yeux avec la partie supérieure des vases. Ceci ne donnerait que des horizontales qui ne mettraient pas les formes cylindriques en valeur.

Dessin de création

LA PERSPECTIVE DANS LA CRÉATION

On crée un objet, un meuble, un ensemble d'architecture intérieure ou extérieure. Les géométraux donnent la répartition générale, les cotes. Les établir en perspective permet de se rendre compte, à peu de frais, du résultat recherché.

Comment établir cette perspective sans entrer dans des constructions longues et savantes ?

Pour toute mise en perspective, même construite, il est recommandé de commencer par un croquis en perspective fait de sentiment, rapidement, sans contrainte, à main levée, afin de placer son sujet tel qu'on le souhaite.

Si ce dessin, fait en quelques minutes, ne donne pas satisfaction, on n'hésite pas à en faire un autre en cherchant même un autre angle de vue.

Si l'on désire une perspective construite, on fait une restitution qui permet de trouver les données nécessaires à la perspective définitive. Ces données sont : le plan, l'échelle du dessin, la hauteur de l'horizon, la distance...

Mais dans cet ouvrage nous abordons seulement la perspective faite de sentiment sans entrer dans des constructions savantes. Les conseils que nous donnons éviteront bien des erreurs grossières.

Il est important de savoir que le dessinateur a toute possibilité pour choisir :
— la grandeur de son dessin, c'est-à-dire son échelle ;
— l'orientation de sa composition ;
— la hauteur de l'horizon, hauteur des yeux du spectateur ;
— la distance donc l'éloignement du spectateur.

Nous donnons à titre d'exemple deux aspects différents d'un bassin à plan carré, le déplacement de l'objectif de l'appareil photo a modifié complètement l'image du sujet et nous aurions pu multiplier ces exemples à l'infini.

Ceci fait comprendre la grande liberté du dessinateur pour mettre en valeur la partie intéressante de son projet. Cette partie à mettre en valeur peut se situer sur un mur, ou dans un angle, ou sur le sol, ou au plafond. On devra en conséquence donner plus d'importance à cette partie tout en respectant les proportions.

Bassin de Fontainebleau

PERSPECTIVE D'UN CUBE

Prenons 3 exemples pour la mise en perspective d'un cube.
— Perspective frontale.
— Perspective sur l'angle peu accentuée.
— Perspective franchement sur l'angle.

Nous choisissons un volume simple : le cube, le dessinateur saura appliquer les solutions proposées au volume qu'il aura à traiter.

Une mise au carreau, principe connu pour reproduire un dessin, permet d'obtenir les mesures à n'importe quel éloignement, de construire de sentiment un décor, un volume, un ensemble.

Un cube est composé de 6 carrés.

Un carré peut être divisé à volonté, pour la clarté du dessin, nous le divisons en 5. Nous pouvons tracer les parallèles aux côtés, les diagonales correspondent à des intersections des parallèles. Ainsi, ayant tracé les parallèles dans un sens, par les diagonales nous obtenons le passage des parallèles perpendiculaires. Cette construction sera utilisée pour obtenir un quadrillage permettant d'établir la perspective.

Si nous donnons les constructions avec des carrés, nous avons toute liberté pour ne prendre qu'un rectangle de 3 sur 5, ou de 4 sur 3, par exemple. Nous donnons le principe, chacun saura l'utiliser.

ECHELLE DU DESSIN :

Sachant qu'un même cube peut contenir un bibelot ou une cathédrale, l'un sera à l'échelle 1, l'autre sera à l'échelle 1/50e.

Le dessinateur a donc toute liberté pour établir son dessin en perspective à la grandeur qui lui convient.

ORIENTATION, HAUTEUR DE L'HORIZON.

Le croquis permet de rechercher librement l'orientation favorable : frontale, ou sur l'angle plus ou moins tourné, avec l'horizon plus ou moins élevé.

Pour un homme debout, l'horizon est à 1,60 m de hauteur.

Pour un homme assis, l'horizon est à 1,20 m de hauteur.

Mais le dessinateur est libre de placer la ligne d'horizon plus haute ou plus basse (voire même au ras du sol) l'effet recherché doit primer et... la logique.

PERSPECTIVE FRONTALE

Tracer, de sentiment à la grandeur désirée, le carré avancé vu de front, ou le carré éloigné. Le carré avancé a l'avantage de donner la grandeur maximum du dessin.

Supposons que ce carré mesure 5 mètres sur 5 et qu'il soit à l'échelle de 2 cm par mètre. On peut aussi bien supposer qu'il soit à l'échelle de 1/2 cm par mètre, il représenterait alors 20 mètres sur 20.

Déterminer la hauteur de l'horizon, supposons 1,60 m. Tracer cette horizontale. Nous savons que toutes les droites horizontales fuyantes ont leur point de fuite sur cette ligne.

Tracer les fuyantes des murs latéraux, elles fuient au point principal P, situé sur la ligne d'horizon suivant l'axe vertical du dessin.

Déterminer la profondeur apparente du cube par le tracé au sol de l'horizontale délimitant le carré. L'image de ce carré peut être très aplatie ou former un trapèze très ouvert, avec toutes les possibilités intermédiaires. Le dessin est juste dans tous les cas. Il correspond simplement à un éloignement supposé du spectateur plus ou moins grand.

Le carré de base étant établi, en fonction de l'effet recherché, tracer les verticales des angles des murs et délimiter le plafond en utilisant les fuyantes déjà tracées.

Porter les divisions sur le carré avancé.

Mener les fuyantes à P. Pour ne pas surcharger le dessin on les arrêtera au mur du fond.

Les diagonales tracées à droite et à gauche permettent de tracer les divisions horizontales et verticales.

Compléter le quadrillage sur le mur du fond, nous avons ainsi une mise au carreau qui permet de placer tous les éléments à leur grandeur.

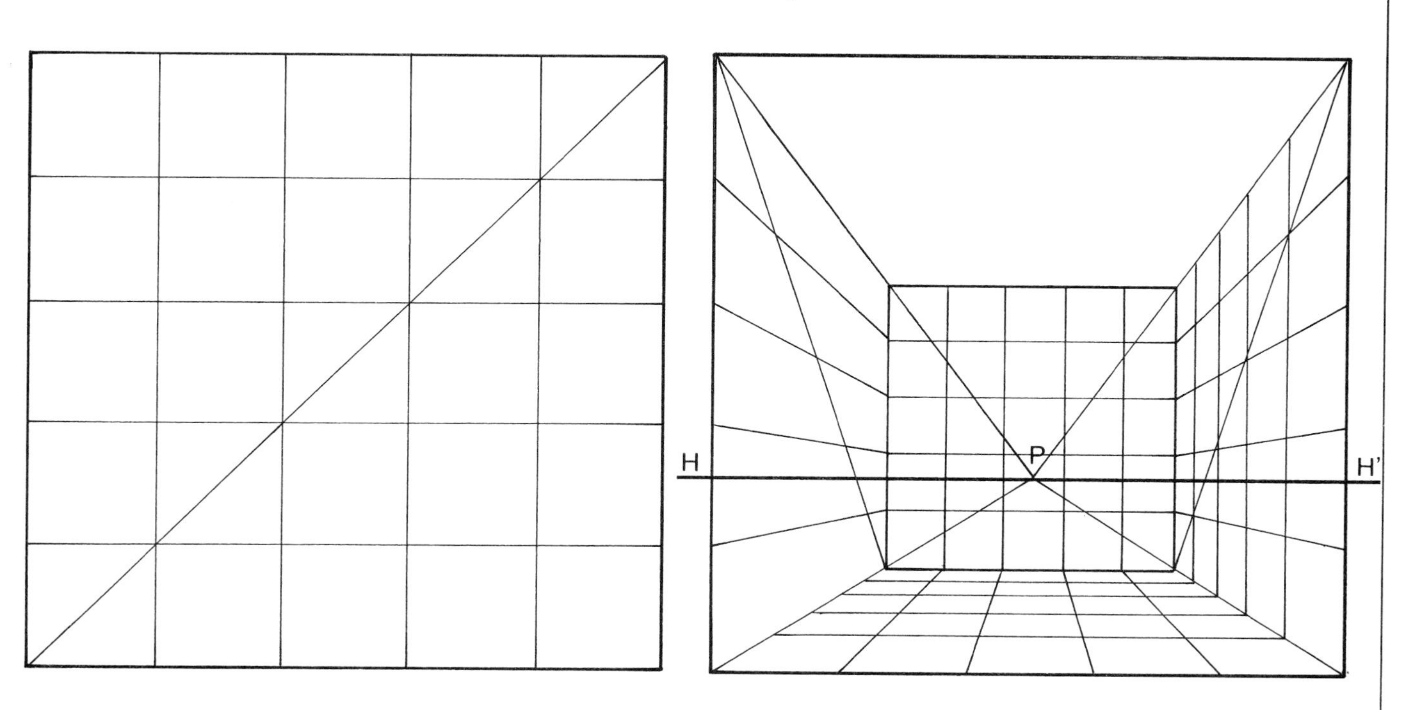

PERSPECTIVE VUE LÉGÈREMENT SUR L'ANGLE

Tracer un carré aux dimensions voulues, à l'échelle choisie pour le dessin.

Faire pivoter le carré suivant son axe vertical, les horizontales deviennent des fuyantes. Une verticale devient plus grande tandis que l'autre en s'éloignant diminue de grandeur.

Tracer la ligne d'horizon à la hauteur désirée, hauteur portée sur l'axe vertical.

Porter, sur la ligne d'horizon, le point de fuite des horizontales perpendiculaires au mur déjà établi. Ce point de fuite n'est plus au milieu de l'ensemble mais déporté du côté de la plus grande verticale.

Tracer les fuyantes des murs latéraux.

Etablir le quadrillage : diviser les deux verticales A et B qui se présentent de front en 5, par exemple. On fait simplement une division géométrique.

Tracer les horizontales sur ce mur du fond, en joignant les divisions portées à droite et à gauche.

Tracer la diagonale, elle donne, à l'intersection des horizontales, les places des verticales que l'on trace.

Compléter par le tracé des fuyantes sur les murs latéraux et sur le sol.

La place du point F, point de fuite des horizontales des murs latéraux, est variable suivant l'éloignement du spectateur. Plus celui-ci est rapproché, plus le point F est proche de l'axe.

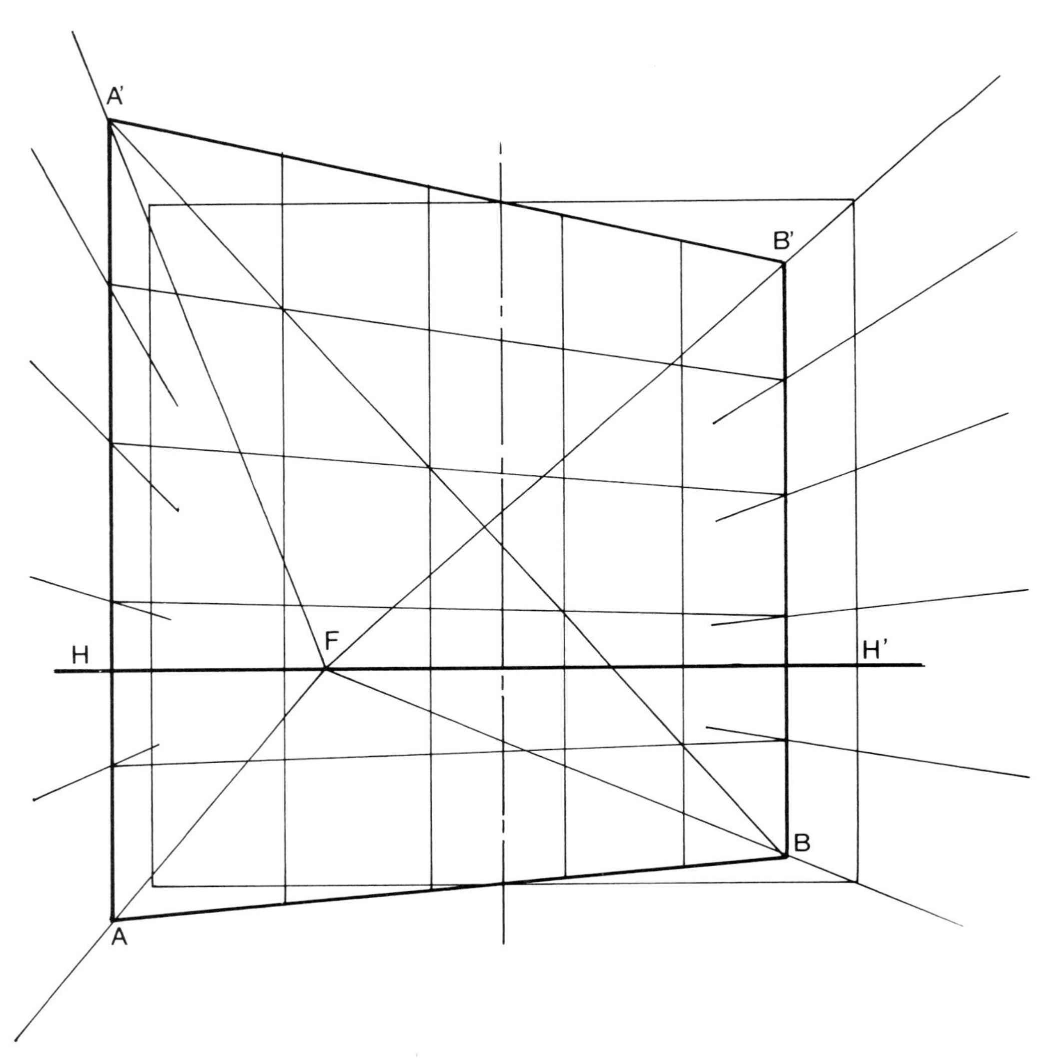

PERSPECTIVE VUE FRANCHEMENT SUR L'ANGLE

Etablir le carré de base en perspective de sentiment, suivant l'orientation et la grandeur voulues. Eviter de tracer ce carré avec deux angles sur la même horizontale ce qui donnerait les deux autres angles sur une même verticale. Dans ce cas le carré serait vu à 45° ce qui n'est pas souhaitable.

Par le prolongement des côtés parallèles on retrouve la hauteur de la ligne d'horizon. Les deux points de fuite trouvés doivent se placer sur la même ligne horizontale, rectifier si nécessaire.

Elever les verticales sur chaque angle et porter la hauteur totale de sentiment en tenant compte de la hauteur de l'horizon.

Les deux points de fuite peuvent être plus ou moins espacés : s'ils sont très éloignés l'un de l'autre, cela suppose le spectateur à une grande distance du sujet ; s'ils sont rapprochés, cela suppose le spectateur près du sujet. Dans ce dernier cas, on doit veiller à ne pas avoir des déformations excessives, qui faussent les proportions.

Le quadrillage est obtenu par la division des lignes verticales, division géométrique, et en menant de ces divisions les fuyantes aux points de fuite. Si un point de fuite est trop éloigné, il est facile de diviser également la verticale éloignée.

Par le tracé des diagonales des carrés on obtient les passages des divisions verticales.

Si nous supposons que nous n'avons aucune ligne de front, il est possible de diviser une fuyante en appliquant le tracé exposé page 64.

Tracer une horizontale partant du point avancé de la fuyante.

Porter le nombre de divisions voulu en partant de ce point avancé, la mesure à porter est quelconque.

De la dernière division, joindre l'autre extrémité de la fuyante et prolonger jusqu'à la ligne d'horizon, on obtient un point quelconque.

Joindre les divisions au point quelconque, la fuyante est ainsi divisée. Il n'est pas nécessaire de tracer ces dernières lignes complètement.

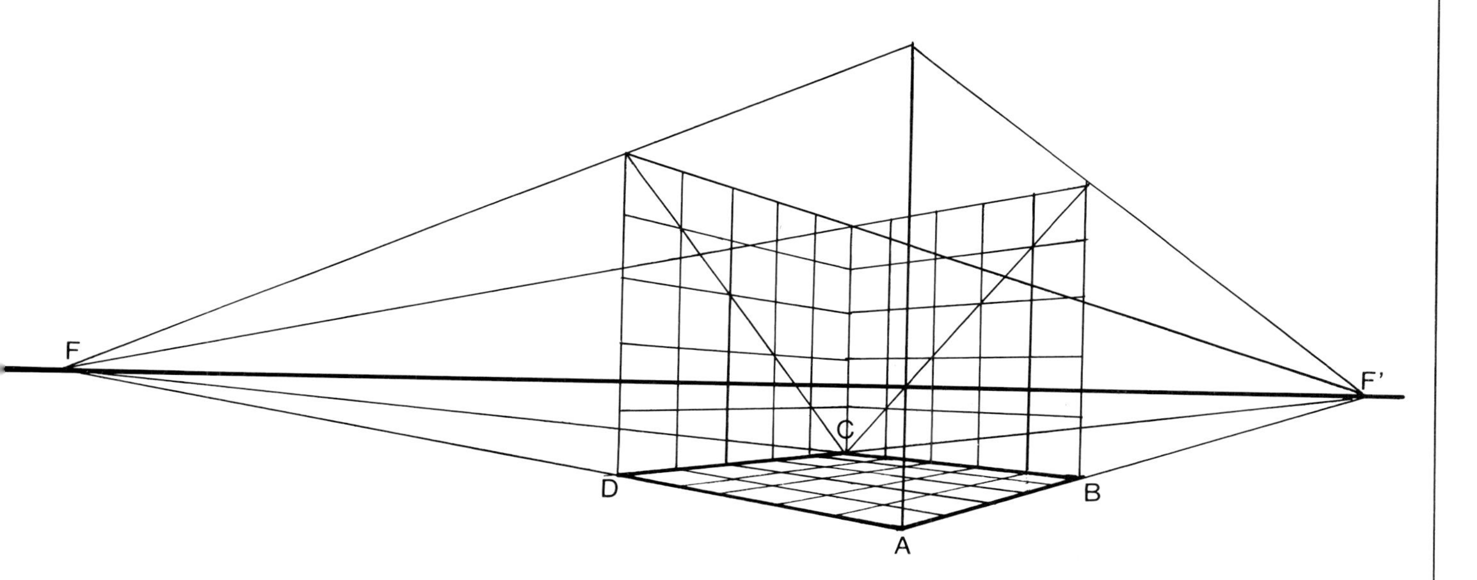

100 EXERCICES

**Les exercices que nous proposons présentent des problèmes de perspective souvent simples mais qui demandent réflexion.
Une grande liberté d'interprétation est laissée au dessinateur, plusieurs solutions étant possibles.
Pour celui qui désire apprendre à dessiner en perspective, ces exercices suggèrent des idées.
Il peut ainsi placer devant lui des livres, des objets, dessiner une porte à moitié ouverte, un pont, une place, etc...**

Les quelques croquis rapides que nous donnons montrent que l'on doit travailler avec une grande liberté, tantôt au crayon, tantôt à l'encre ou au feutre ou bien au lavis...

Dès que l'on se tient à une distance, assez grande : 2 ou 3 fois la largeur ou la hauteur du sujet, la perspective des horizontales est atténuée. Lorsque l'on est encore plus éloigné, comme pour ce croquis au crayon, qui présente un paysage où les habitations sont éloignées, il s'ensuit, que leur perspective est atténuée, les toitures ont leurs horizontales non fuyantes, elles restent horizontales sur le dessin.

G. RAYNAUD
LAROCHE POSAY
1980

Droites

Quelques livres orientés différemment sur une table.

Cubes n'ayant aucune face de front : un premier sur le sol, un deuxième sur le plan d'horizon, un troisième sur un plan horizontal situé au-dessus du plan d'horizon.

Un carton à dessin fermé et appuyé contre un mur oblique au tableau (dimensions $0,65 \times 0,50$ m, horizon 1 m).

Feuillets mobiles tenus par un côté sur un mur.

Un carrelage avec des hexagones (pas de frontale).

Rue oblique au tableau et passage piétons.

Un lit avec deux tables de chevet (vue oblique). Personnages.

Une desserte roulante (deux plateaux, plan rectangulaire).

Quels sont les différents aspects d'un angle droit en perspective en raison de la distance du spectateur ?

Escalier monumental avec personnages (vue oblique).

Deux apparences perspectives d'une table rectangulaire, le spectateur se déplaçant parallèlement au tableau (pas de frontale).

Un meuble-secrétaire ouvert. Personnages (vue oblique).

Estrade sur place publique. Escalier. Personnages.

Perron de trois marches sur une rue montante. Personnages.

Escalier vu obliquement et en descendant. Personnages.

Un pigeonnier sur un toit (plan hexagonal, toit pointu pour ce pigeonnier).

Deux routes bordées d'arbres régulièrement espacés se croisant perpendiculairement (pas de frontale). Personnages.

Deux cubes ayant leurs arêtes horizontales obliques parallèles, vus à des éloignements différents. Horizon : 1,60 m ; arêtes du cube : 1 m. Pas de point de fuite.

Portique pour gymnastique. Personnages (pas de vue frontale).

Une table carrée sur un tapis rectangulaire (vue oblique).

Une lucarne dans un bâtiment de ferme. Une échelle est placée devant. Un personnage monte à l'échelle.

Deux aspects d'une chaise, (vues obliques). Personnages à côté.

Triptyque dont deux volets sont ouverts sous des angles différents (pas de frontale).

Un refuge rectangulaire au milieu d'une voie publique (personnages).

Construire un cube qui ne touche le sol que par une arête.

Une pendule octogonale accrochée au mur vu fuyant.

Route descendante, en paliers ; montante ; poteaux télégraphiques.

Un dé en pierre sur une pelouse en pente. Personnages.

Entrée d'une station de métro. Le spectateur va descendre l'escalier (frontales exclues).

Bâtiments d'une ferme importante située dans le Jura (dessin ci-dessous).

Rue avec de vieilles maisons en bois, personnages (dessin ci-contre).

DINAN

Cercle

Table circulaire sur trois pieds. Deux vues.

Table circulaire sur quatre pieds disposés aux angles d'un carré oblique.

Porte en plein-cintre à deux battants ouverts.

Angle d'un monument avec arcades.

Perron demi-circulaire formé de trois marches. Personnages.

Un vase avec un décor géométrique (plan circulaire).

Kiosque à musique dans un parc octogonal. Personnage.

Couvert (assiette et verre) posé sur une nappe à carreaux.

Horloge monumentale. Le spectateur lève la tête.

Porte de restaurant, porte tournante à quatre plans.

Intersection d'une tour cylindrique avec un mur en talus.

Coupole sur pendentifs, le carré du plan est vu obliquement.

Fronton pénétrant dans une tour cylindrique. Horizon au-dessus du fronton.

Arcade percée dans une tour cylindrique (vue frontale exclue).

Un pont, une seule arche et un dos d'âne au-dessus d'un canal. Personnages sur le pont et sur les quais (dessin ci-dessous).

Dessiner l'image d'un mur fuyant vers la droite du spectateur. Dans ce mur est percée l'ouverture d'un tunnel demi-circulaire. Dessiner l'entrée du tunnel.

Dessiner un enfant jouant au cerceau. Dessiner ensuite un deuxième enfant, plus éloigné, jouant également au cerceau et venant dans une direction perpendiculaire au premier.

Dans un parc se trouve un bassin circulaire entouré d'une pelouse et d'une allée. Dessiner l'ensemble de ces cercles concentriques avec quelques personnages situés à différents plans. Dimensions approximatives : bassin 10 m de diamètre, pelouse largeur 1 m, allée 1,50 m.

Dessiner une place de village, située dans le midi, avec arcades et laissant apparaître un clocher (dessin ci-contre).

La porte d'entrée d'une ville du Moyen âge. Elle est encadrée de deux tours et plus éloignée, une imposante tour d'angle.

Ombres

Ombres au soleil des lettres A et O verticales sur un toit (position au choix).

Ombre au flambeau d'un cercle horizontal tangent à un mur, le centre du cercle est en dessous de la source lumineuse.

Table circulaire avec parasol. Ombres. Personnages.

Fenêtre rectangulaire vue obliquement de l'extérieur, les volets étant ouverts à 15°. Ombre du soleil.

Ombres au soleil d'une enseigne située sur un toit.

Ombre au flambeau d'un cadre incliné suspendu au mur.

Ombre d'un bâton sur une façade vue obliquement par un spectateur placé sur le sol. Soleil placé derrière le spectateur.

Ombre d'une cloche suspendue à quelque distance d'un mur. Soleil devant ou derrière le spectateur.

Un cylindre creux. Ombres portées d'une bougie.

Une tour cylindrique avec un toit conique. Le spectateur lève la tête. Ombres.

Lumière du soleil pénétrant par une fenêtre ouverte sur le sol et le mur d'un intérieur.

Ombres au soleil d'une échelle appuyée contre un mur, le soleil étant situé devant le spectateur.

Ombre d'une marquise demi-circulaire horizontale sur un mur oblique au tableau. Soleil (position au choix).

Ombre au flambeau d'une droite oblique sur une gorge.

Ombre portée d'un tailloir sur une colonne cylindrique. Soleil derrière le spectateur.

Ombre portée par une rampe sur les marches d'un escalier vu obliquement.

Pot de fleurs tronconique. Ombre au soleil.

Boutiques avec étalage. Enseigne, store à rayures. Ombres.

Ombres au flambeau d'une porte vitrée ouverte. Cette porte sépare le spectateur du flambeau.

Ombre portée d'une verticale sur un cône reposant sur le sol par une génératrice. Soleil position au choix.

Ombre au flambeau d'une droite appuyée sur un cône.

Ombre d'un personnage sur un cylindre d'axe oblique et horizontal (soleil au choix).

Fenêtre rectangulaire vue obliquement de l'extérieur, les volets étant ouverts à 45°. Ombre du soleil.

Intersection d'une tour cylindrique avec murs en talus. Ombres du soleil.

Balcon en demi-cercle portant ombre sur le mur de la maison.

Ombre d'un bandeau se retournant sur l'angle d'une cour.

Ombre d'un bandeau circulaire couronnant un cylindre (colonne publicitaire).

Ombre d'un cône fixé par sa base sur un mur qui fuit à gauche du spectateur, faisant 60° avec le tableau. Soleil derrière le spectateur.

Ombre du disque «sens interdit» sur un mur. Soleil derrière le spectateur.

Une rue descendante avec maisons de chaque côté. Située dans le Midi. Ombres au soleil (dessin ci-contre).

Cafetière électrique. Surface brillante, avec des ombres et des lumières rapprochées, heurtées (dessin ci-contre).

Dessin de Sabine Lepage

Reflets

Reflet d'une arcade percée dans un mur de soutènement qui rencontre obliquement le plan d'eau (dessin ci-contre).

Personnages placés devant deux miroirs verticaux perpendiculaires et obliques au tableau.

Cube placé devant un miroir (orientation au choix). Arêtes non parallèles au miroir.

Reflet d'une roue de moulin à eau.

Reflet d'un pont suspendu. Le spectateur est sur la berge et voit le pont obliquement.

Reflet d'un parquet en chevrons dans un miroir vertical perpendiculaire au tableau.

Berges d'une rivière, vues d'une barque amarrée au bord. Arbres régulièrement espacés se reflétant dans l'eau.

Un pont situé au-dessus d'une écluse.

Usine située près d'un quai. Reflets dans l'eau.

Personnage se regardant dans un miroir incliné et perpendiculaire au tableau. Ombres au flambeau.

Reflet d'un vase sur un plan vertical de front (dessin ci-dessous).

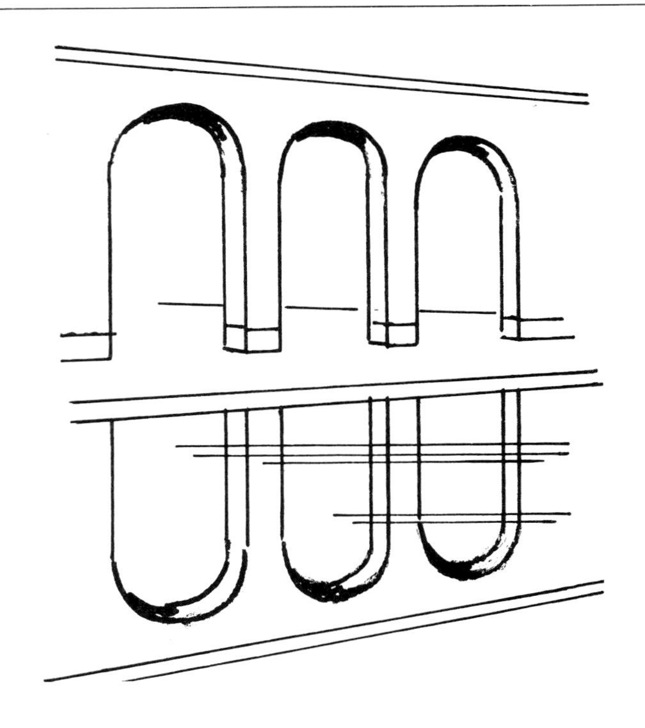

Dessins à faire en plus grand format

Pavillon d'exposition. Dans une grande exposition internationale, se trouve le pavillon de la Ville de Paris. Ce pavillon comprend une partie centrale avec l'entrée et une colonnade importante ; en retrait, deux ailes moins élevées sont éclairées par de grandes fenêtres en hauteur. Dessiner l'ensemble vu fuyant vers la droite.

Atelier d'artiste. Un atelier d'artiste est éclairé par une grande verrière divisée par de petits carreaux rectangulaires.
Dessiner cet atelier vu par un spectateur situé dans un angle et regardant du côté de la verrière.
Dans un deuxième dessin, on représentera l'atelier vu de la soupente, le spectateur regardant vers le bas, mais toujours dans la direction de la verrière, la rue sera aperçue.

Chantier de travaux. Sur la grande place d'une ville se trouve un vaste chantier de travaux avec grues, camions, etc... Dessiner ce chantier vu par un spectateur situé à l'angle de la place, et dans un deuxième dessin, par un spectateur placé au quatrième étage d'un immeuble.

Les décorateurs terminent les peintures d'une salle d'un hôtel de ville. Ils travaillent près d'une porte dont les deux vantaux ouverts sont placés dans des positions différentes. L'un des peintres est monté sur un échafaudage en planches placées sur deux tréteaux. Le mur dans l'axe duquel est la porte se trouve vu fuyant vers la gauche.

Dessiner un escalier situé dans un parc. Cet escalier de huit mètres de largeur environ, est composé de cinq marches, de chaque côté se trouve une balustrade en pierre qui se continue à droite et à gauche sur le terre-plein.
Indiquer des personnages à différents niveaux.
Un premier dessin supposera que l'observateur est placé sur le plan inférieur à une dizaine de mètres de l'escalier qui sera vu fuyant vers la droite.
Un deuxième dessin supposera que l'observateur est situé sur le plan supérieur à quelques mètres de l'escalier qu'il voit fuyant vers la gauche.

Dans un parc se trouve un vaste espace à plan carré, encadré d'arbres, quatre allées y aboutissent suivant les axes des côtés. Au milieu de cet espace est un terre-plein circulaire, légèrement surélevé. Sur le tour de ce terre-plein, se trouvent des bancs alternant avec des marches qui en permettent l'accès, au centre est une statue. Des parterres de verdure et de fleurs rendent le lieu agréable.
Indiquer cet ensemble vu par un spectateur situé dans un angle de cet espace, et dans un deuxième dessin, supposer le spectateur placé sur une hauteur de huit mètres environ.
Indiquer des personnages situés à différents éloignements.

Des hommes déchargent un bateau composé de formes courbes, 15 mètres de long environ (dessin ci-dessous).

G. RAYNAUD 82

Un pont. Un pont franchit une rivière par trois arches en plein cintre.
Dessiner ce pont avec ses reflets dans l'eau, vu par un spectateur situé sur la berge et qui voit l'ensemble fuyant vers la droite.
Dessiner ensuite le pont vu par un spectateur placé au 2e étage d'une maison qui lui permet de voir le dessus et le côté du pont, fuyant vers la gauche.

Embarcadère de bateaux de promenade sur un lac. Cet embarcadère est situé devant un pavillon pouvant servir d'abri pour les promeneurs au départ et à l'arrivée ; d'autre part, il comporte des guichets de location et des appentis pour la remise du matériel.
1°) En donner une vue, le spectateur étant situé sur l'eau en barque, face à l'embarcadère, et à droite.
2°) Le même ensemble, le spectateur étant situé sur un belvédère de six mètres de haut et distant d'une trentaine de mètres, en face et à gauche de l'embarcadère.

Le hall d'une grande gare parisienne. Ce hall donnant accès aux quais, comprend les différents guichets pour les billets, la consigne, l'enregistrement des bagages, etc... ainsi qu'une galerie supérieure où se trouvent le restaurant de la gare et des bureaux de la S.N.C.F.
Dans le hall, on aperçoit le kiosque à journaux, les tableaux d'horaires, des bancs, etc...
On fera une vue animée de l'ensemble, le spectateur étant ;
1°) dans un angle du hall ;
2°) sur la galerie supérieure.

Un petit jardin public. Ce petit jardin sera situé au milieu d'un carrefour où aboutissent plusieurs artères importantes.
On y trouvera des pelouses, des bancs, des chaises, le kiosque du gardien et, au centre, une statue ou un petit bassin.
On représentera :
1°) l'ensemble de ce petit jardin, vu par un spectateur arrivant par l'une des artères ;
2°) une vue animée de cette place, le spectateur se trouvant au 3e étage d'une maison voisine.

Un ensemble d'immeubles vu du haut d'un immeuble voisin. (dessin ci-contre).

Hall d'un grand magasin. Dessiner le hall d'un grand magasin vu par un observateur placé au rez-de-chaussée et regardant les étages supérieurs. Dessiner ensuite le même hall vu par un observateur situé au 6e étage.

Station de métro. Dessiner des voyageurs attendant le métro dans une gare souterraine du métropolitain de Paris.

Dessiner la vaste salle commune d'une ferme avec sa grande cheminée, sa table rectangulaire, son vaisselier, sa comtoise, etc... Plusieurs personnages travaillent à diverses occupations.

LEXIQUE

Abaque : synonyme de tailloir, terme employé pour désigner la partie supérieure des chapiteaux antiques.
Arc : partie d'architecture franchissant un espace, renfort de voûte.
Arcade : ensemble de l'arc et de ses pieds droits.
Asymptote : droite telle que la distance d'un point d'une courbe à cette droite tend vers zéro quand le point s'éloigne à l'infini sur la courbe.
Bandeau : saillie horizontale qui en général marque les étages.
Bissectrice : droite divisant un angle en deux angles égaux.
Carré d'enveloppement : carré enfermant une surface complexe, cette surface pouvant avoir des angles et certains côtés tangents au carré d'enveloppement. On peut avoir un rectangle d'enveloppement ou toute autre surface simple.
Chapiteau : partie supérieure d'une colonne, en général évasé. Il constitue la liaison entre le fût de la colonne et le bandeau horizontal qu'il supporte.
Cercles concentriques : cercles ayant le même centre, leurs courbes sont parallèles.
Colonne : support à section circulaire se composant d'une base, d'un fût généralement galbé et d'un chapiteau. Le fût peut être d'un seul bloc ou obtenu par tambours superposés.
Colonnette : petite colonne dont le fût est en général monolithique.
Corde : en géométrie, désigne une droite recoupant un cercle et ne passant pas par le centre. Droite joignant les deux extrémités d'un arc ou d'une courbe quelconque.
Coupole : voûte vue de l'intérieur, c'est une concavité à plan circulaire ou à pans coupés.
Couronne : surface comprise entre deux cercles concentriques.
Dessin de sentiment : dessin exécuté sans construction, fait naturellement à main levée sans instrument.
Diagonale : droite joignant deux angles opposés.
Dôme : partie extérieure d'une coupole. Souvent la coupole et le dôme sont composés par deux coques différentes assez espacées à la partie supérieure.
Droites de bout : droite vue par une extrémité ; droites parallèles, perpendiculaires à un plan de front.
Ellipse : courbe fermée ne pouvant pas se tracer au compas. Utilisant deux foyers, la courbe se trace avec une corde.
Entablement : partie horizontale supérieure d'un édifice.
Fronton : couronnement triangulaire posé sur l'entablement d'un édifice ou d'une porte ou d'une fenêtre. La partie supérieure d'un fronton peut-être triangulaire ou courbe ou brisée.
Génératrice : ligne droite dont le déplacement engendre une surface réglée.
Géométral : établissement des différents plans d'un objet ou d'un meuble ou d'une architecture.
Géométrie descriptive : qui donne une description d'un objet par plans perpendiculaires.
Hyperbole : conique formée de points dont la différence des distances à deux points fixes ou foyer, est constante.
Hypoténuse : côté opposé à l'angle droit dans un triangle rectangle ; c'est le plus grand côté de ce rectangle.
Isométrique : perspective isométrique, le cube est vu sur l'angle de telle façon que les trois arêtes forment trois angles égaux de 120°.
Linteau : pièce posée horizontalement d'un jambage à l'autre d'une fenêtre, par exemple.
Listel : petite moulure saillante.
Machicoulis : ouvertures entre les consoles portant les créneaux et merlons situés en haut d'une tour.
Marquise : auvent vitré, placé au-dessus d'une porte d'entrée.
Médiane : droite divisant une surface en deux parties égales. Dans un triangle : droite joignant un sommet au milieu du côté opposé.
Meneaux : traverses de pierre ou de bois, divisant les fenêtres par compartiments. Caractérise le XVIe siècle.
Merlon : partie pleine d'un crénelage situé en haut des tours.
Module : unité de mesure utilisée pour calculer les dimensions des diverses parties d'un monument ou d'une composition.
Moulure : listel plus ou moins large en saillie ou en creux pouvant avoir les profils les plus variés.
Ogive : nervure saillante soulignant les arêtes des voûtes.
Ombre portée : ombre provoquée sur une surface par un volume interceptant les rayons lumineux.
Ombre propre : partie non éclairée d'un volume.
Orientation sur l'angle : volume vu de telle façon qu'il ne présente aucune surface de front.
Ovale : courbe fermée se traçant au compas avec 4 points de centre, 2 sur chaque axe.
Ove : ornement en forme d'œuf.
Parabole : lieu des points d'un plan équidistants d'un point fixe F (ou foyer) et d'une droite fixe D (ou directrice).
Parallèles : se dit de 2 droites qui sont dans un même plan et ne se rencontrent jamais même prolongées à l'infini. Peuvent être parallèles : des droites, des courbes (cercles concentriques), des plans.
Piédestal : support d'une colonne ou d'une statue.
Péristyle : vestibule limité par une colonnade.
Pignon : partie supérieure triangulaire d'un mur contre laquelle bute le comble dont les côtés correspondent à la pente du toit.
Pilastre : pilier engagé, formant saillie sur le mur, il peut être à section rectangulaire ou demi-circulaire.
Pilier : support isolé, ne pas confondre avec colonne. Il est construit par pierres ajustées. Sa section carrée, rectangulaire ou composite, est constante du bas en haut.
Plein cintre : arc en demi-cercle terminant le haut d'une fenêtre ou d'une porte. Une voûte peut également être en plein cintre.
Plan de front : plan perpendiculaire au rayon visuel principal, il est vu sans déformation.
Point de fuite : point où des parallèles semblent se rejoindre. Il est situé à l'infini.
Point de tangence : point unique où deux lignes se touchent sans se croiser.
Rayon lumineux : trajectoire suivie par la lumière.
Rayon visuel : trajectoire partant de l'œil et joignant un point donné.
Solide de révolution : solide dont la surface est obtenue par la rotation autour d'un axe, d'une ligne invariable appelée génératrice.
Socle : partie inférieure d'un pilier, ou d'une colonne, ou d'une statue.
Tailloir : tablette plus ou moins épaisse, posée au-dessus d'un chapiteau.
Vantail : battant de porte.
Vasistas : châssis mobile au-dessus d'une porte ou panneau d'une verrière.
Vitrail : ensemble de verres maintenus par des plombs pour garnir une baie.
Voussure : portion de voûte, courbe raccordant un plafond avec le mur.
Voûte : plafond cintré. Une voûte peut être en plein cintre, ou en arc brisé, ou en arc surbaissé.
Voûte d'arêtes : voûte obtenue par le croisement de deux voûtes de même profil.

Achevé d'imprimer en novembre 1989 par Ouest Impressions Oberthur - 35000 Rennes